JOHANN CHRISTOPH GOTTSCHED

STERBENDER CATO

IM ANHANG:
AUSZÜGE AUS DER ZEITGENÖSSISCHEN
DISKUSSION ÜBER GOTTSCHEDS DRAMA

HERAUSGEGEBEN VON
HORST STEINMETZ

PHILIPP RECLAM JUN. STUTTGART

Universal-Bibliothek Nr. 2097 [2]

Gesetzt in Petit Garamond-Antiqua. Printed in Germany 1979
Satz: Vereinsdruckerei Heilbronn eGmbH. Druck: Reclam Stuttgart
ISBN 3-15-002097-2

Joh. Christ. Gottscheds
Prof. der Poes. in Leipzig,

Sterbender

ein Trauerspiel,

nebst

einer Critischen Vorrede,

darinnen

von der Einrichtung desselben

Rechenschaft gegeben wird.

Leipzig,
Zu finden in Teubners Buchladen.
1732.

VORREDE

Ich unterstehe mich, eine Tragödie in Versen drucken zu lassen, und zwar zu einer solchen Zeit, da diese Art von Gedichten seit dreißig und mehr Jahren ganz ins Vergessen geraten und nur seit kurzem auf unserer Schaubühne sich wieder zu zeigen angefangen hat. Diese Verwegenheit ist in der Tat so groß, daß ich mich deswegen ausführlich entschuldigen muß. Ich weiß zwar, daß ein einziges herrliches Muster dieser in Verfall geratenen Art der Gedichte wohl eher ganze Nationen rege gemacht und ihnen einen Geschmack davon beigebracht. Der berühmte ‚*Cid*' des Corneille hat dieses in Frankreich, die ‚*Merope*' des Hrn. Maffei in Italien und Hrn. Addisons ‚*Cato*' in Engelland zur Genüge erwiesen. Allein, ich bin auch im Gegenteil versichert, daß Leute, die einer Sache nicht recht gewachsen sind, durch übel geratene Proben alles verderben und oftmals eine Art von Poesien in solche Verachtung bringen können, daß niemand mehr die Mühe nimmt, sie zu übertreffen oder dasjenige, was sie schlimm gemacht haben, wieder zu verbessern.

Eben deswegen habe ich mich seit drei Jahren, da ich in meiner ‚*Critischen Dichtkunst*' unsre Nation zu Hervorsuchung dieser Art großer Gedichte aufgemuntert und einige Anleitung dazu gegeben, nicht gewaget, selbst ans Licht zu treten oder andern mit meinem Exempel vorzugehen. Ich habe gewartet, ob sich nicht etwa ein geschickterer Poet unsres Vaterlandes hervortun und ein Werk unternehmen würde, welches ihm und Deutschland Ehre machen könnte. Es fehlt uns in der Tat an großen und erhabenen Geistern nicht, die zur tragischen Poesie gleichsam geboren zu sein scheinen. Es kommt nur auf die Wissenschaft der Regeln an; die aber nicht ohne alle Bemühung und Geduld gefasset werden können. Es gehört auch Gelegenheit dazu, die deutsche Schaubühne nach ihren bisherigen Fehlern und erforderlichen Tugenden kennenzulernen: Wie denn auch die Kenntnis des französischen, englischen und italiänischen Theaters einigermaßen hierzu nötig ist. Und ohngeachtet ich Ursache habe zu glauben, daß es verschiedene unter unsern Dichtern gebe, die mit allen diesen Vorteilen reichlich versehen sind, wie ich denn selbst einige davon nennen könnte: So habe ich doch bisher vergeblich auf die Erfüllung meines Wunsches gehoffet.

Ehe ich mich aber erkläre, aus was für Ursachen ich mich endlich entschlossen habe, dieses Trauerspiel ans Licht zu stellen, muß ich mit wenigem melden, wie ich zuerst auf die theatralische Poesie gelenket worden und was mich endlich bewogen, selbst Hand anzulegen und einen Versuch darinnen zu tun. Es sind nunmehro 15 oder 16 Jahre, als ich zuerst LOHENSTEINS Trauerspiele lase und mir daraus einen sehr wunderlichen Begriff von der Tragödie machte. Ob ich gleich von vielen diesen Poeten himmelhoch erheben hörte, so konnte ich doch die Schönheit seiner Werke selber nicht finden oder gewahr werden. Ich ließ also diese Art der Poesie in ihren Würden und Unwürden beruhen: Weil ich mich nicht getrauete, mein Urteil davon zu sagen. Ich lase auch um eben die Zeit OPITZENS ‚*Antigone*', die er aus dem Sophokles verdeutschet hat. Allein, ob mir wohl die andern Gedichte dieses Vaters unsrer Dichtkunst ungemein gefielen: So konnte ich doch die rauhen Verse dieser etwas gezwungenen Übersetzung nicht leiden; und daher kam es, daß ich auch an dem Inhalte dieser Tragödie keinen Geschmack fand. Ich blieb also im Absehen auf die theatralische Poesie in vollkommener Gleichgültigkeit oder Unwissenheit, bis ich etliche Jahre hernach den BOILEAU kennenlernte. Damals ward ich denn, teils durch die an den MOLIÈRE gerichtete Satire, teils durch den hin und her eingestreuten Ruhm oder Tadel theatralischer Stücke, begierig gemacht, selbige näher kennenzulernen.

Obwohl ich nun den Molière leicht genug zu lesen bekam, so war doch in meinem Vaterlande keine Gelegenheit, eine Komödie oder Tragödie spielen zu sehen: Als wozu mir dieses Lesen eine ungemeine Lust erwecket hatte. Ich mußte mir also diese Lust vergehen lassen, bis ich im Jahr 1724 nach Leipzig kam und daselbst Gelegenheit fand, die privilegierten Dresdenischen Hofkomödianten[1] spielen zu sehen. Weil

1. Die von Karl Ludwig Hofmann geleitete Truppe.

sich dieselben nur zur Meßzeit allhier einfanden, so versäumte ich fast kein einziges Stücke, so mir noch neu war. Dergestalt stillte ich zwar anfänglich mein Verlangen dadurch: Allein, ich ward auch die große Verwirrung bald gewahr, darin diese Schaubühne steckte. Lauter schwülstige und mit Harlekins Lustbarkeiten untermengte Haupt- und Staatsaktionen, lauter unnatürliche Romanstreiche und Liebeswirrungen, lauter pöbelhafte Fratzen und Zoten waren dasjenige, so man daselbst zu sehen bekam. Das einzige gute Stücke, so man aufführete, war ‚*Der Streit zwischen Liebe und Ehre oder Roderich und Chimene*', aber nur in ungebundener Rede übersetzt. Dieses gefiel mir nun, wie leicht zu erachten ist, vor allen andern und zeigte mir den großen Unterscheid zwischen einem ordentlichen Schauspiele und einer regellosen Vorstellung der seltsamsten Verwirrungen auf eine sehr empfindliche Weise.

Hier nahm ich nun Gelegenheit, mich mit dem damaligen Prinzipal[2] der Komödie bekanntzumachen und zuweilen von der bessern Einrichtung seiner Schaubühne mit ihm zu sprechen. Ich fragte ihn sonderlich, warum man nicht Andr. Gryphii Trauerspiele, imgleichen seinen ‚*Horribilicribrifax*' u.d.m. aufführete? Die Antwort fiel, daß er die erstern auch sonst vorgestellet hätte: Allein, itzo ließe sichs nicht mehr tun. Man würde solche Stücke in Versen nicht mehr sehen wollen: Zumal sie gar zu ernsthaft wären und keine lustige Person in sich hätten. Ich riet ihm also, einmal ein neues Stücke in Versen zu versuchen, und versprach, selbsten einen Versuch darin zu tun. Da ich aber noch keine Regeln der Schauspiele verstund, ja nicht einmal wußte, ob es dergleichen gäbe: So übersetzte ich aus den Fontenellischen Schäfergedichten den ‚*Endimion*', so wie ich denselben bei der ersten Auflage der ‚*Gespräche von mehr als einer Welt*' habe drucken lassen[3]; machte aber hier und dar noch einige Zusätze von lustigen Szenen darzwischen, welche zusammen ein Zwischenspiel ausmachten, so mit der Haupthandlung gar nicht verbunden war. Ich verstund nemlich die Schaubühne so wenig als der Prinzipal der Komödie; und ohn-

2. K. L. Hofmann.

3. Die Übersetzungen des Schäferspiels und der ‚*Gespräche*' erschienen 1727.

geachtet es mich damals verdroß, daß er meine Übersetzung aufzuführen das Herz nicht hatte: So ist mirs doch itzo sehr lieb, daß solches nicht geschehen ist; zumal da ‚*Endimion*' sich mehr zu einer Oper als zu einer Komödie geschicket hätte.

Indessen gaben mir die schlechten Stücke, die ich spielen sahe, vielfältige Gelegenheit, auch ohne alle Kenntnis der Regeln, das unnatürliche Wesen derselben wahrzunehmen: Zugleich aber machte mich dieses begierig, mich um die Regeln der Schaubühne zu bekümmern. Ich konnte mir nemlich leicht einbilden, daß eine so weitläuftige Art der Gedichte unmöglich ohne dieselben bestehen könnte, da man es den allerkleinsten Poesien daran nicht hatte fehlen lassen. In allen unsern deutschen Anleitungen zur Poesie fand ich kein Wort davon; ausgenommen in ROTTHENS ‚*Deutscher Poesie*', die 1688 hier in Leipzig herausgekommen. Alle übrige, auch sogar MENANTES in seinen ‚*Theatralischen Gedichten*' und der von ihm ans Licht gestellten ‚*Allerneusten Art zur galanten Poesie zu gelangen*', hatten nur eine seichte Anleitung zur Oper gegeben. Doch da mir auch Rotthe noch kein Genügen tat, ob er gleich nicht übel davon gehandelt hat, und ich in ihm des ARISTOTELES Poetik gelobt fand: So ward ich begierig, dieselbe zu lesen; und es fiel mir zu allem Glücke DACIERS französische Übersetzung derselben in die Hände. Diese hielte außer dem Texte sehr ausführliche Anmerkungen in sich und gab mir also den längst gewünschten Unterricht in diesem Stücke. Es kamen mir nachmals CASAUBONUS' ‚*De satirica Graecorum poesi und Romanorum satira*', RAPPOLTS ‚*Poetica Aristotelica*', imgleichen HEINSIUS' ‚*De tragoediae constitutione*', des Abts von AUBIGNAC ‚*Pratique du Théâtre*' und andre Schriften mehr in die Hand, die nur beiläufig von diesen Sachen handelten; dahin ich hauptsächlich den englischen ‚*Spectator*' und den St. Evremont rechnen muß. Und zu geschweigen, daß ich mir des CORNEILLE, RACINE, LA GRANGE, LA MOTTE, MOLIÈRE, VOLTAIRE u. a. Schauspiele nebst den ihnen vorgesetzten Vorreden und beigefügten kritischen Abhandlungen bekannt gemachet: So kam endlich noch des Abts BRUMOIS ‚*Théâtre des Grecs*' und des Italieners RICCOBONI ‚*Histoire du Théâtre Italien*' dazu, die mir noch mehr Licht in dieser Materie verschaffeten.

Je mehr ich nun durch die Lesung aller dieser Werke die

wohleingerichteten Schaubühnen der Ausländer kennenlernte: Desto mehr schmerzte michs, die deutsche Bühne noch in solcher Verwirrung zu sehen. Indessen aber, daß mir das Licht nach und nach aufging: So geschah es, daß die Dresdenischen Hofkomödianten einen neuen Prinzipal bekamen, der nebst seiner geschickten Ehegattin[4], die gewiß in der Vorstellungskunst keiner Französin oder Engelländerin was nachgibt, mehr Lust und Vermögen hatte, das bisherige Chaos abzuschaffen und die deutsche Komödie auf den Fuß der französischen zu setzen. Den ersten Vorschub dazu tat so zu reden der Hochfürstl. Braunschweigische Hof, woselbst zu des höchstsel. Herzogs Anton Ulrichs Zeiten schon längst ein Versuch gemacht worden war, die Meisterstücke der Franzosen in deutsche Verse zu übersetzen und wirklich aufzuführen. Man gab ihnen die Abschriften vieler solchen Stücke; und ob sie gleich mit dem ‚*Régulus*' des PRADONS, eines nicht zum besten berüchtigten Poeten, den Anfang machten, den BRESSAND an obgedachtem Hofe schon vor vielen Jahren in ziemlich rauhe Verse übersetzt hatte: So gelung ihnen doch dieses Stücke durch die gute Vorstellung so gut, daß sie auch den ‚*Brutus*', imgleichen den ‚*Alexander und Porus*' von eben diesem Übersetzer und bald darauf auch den ‚*Cid*' des Corneille aufführeten, der aber von einem weit geschickteren Poeten[5] in viel reinere und angenehmere Verse übersetzt war als jene und also auch ungleich mehr Beifall fand als alle poetische Stücke, die man vorhin gesehen hatte.

Hierauf schlug ich, die angefangene Verbesserung unsrer Schaubühne, so viel mir möglich war, fortzusetzen und zu unterstützen, dem dermaligen Direktor derselben auch den von einem vornehmen Ratsgliede in Nürnberg[6] übersetzten ‚*Cinna*' vor, der in der Sammlung seiner Gedichte, die unter dem Titel der ‚*Christlichen Vesta und irdischen Flora*' herausgekommen, befindlich ist. Wie nun dieses Meisterstücke des Corneille durchgehends großen Beifall fand: So machte ich selbst endlich mit Übersetzung der ‚*Iphigenie*' aus dem

4. Johann und Karoline Neuber.
5. Gottfried Lange. Seine Übersetzung erschien 1699. Ihm ist der ‚*Cato*' gewidmet.
6. Christoph Fürer. Die Übersetzungen erschienen 1702.

Racine einen Versuch[7] und spornte zugleich ein paar gute Freunde und geschickte Mitglieder der ‚*Deutschen Gesellschaft*' allhier an, dergleichen zu tun; da denn der eine[8] den andern Teil des ‚*Cids*' oder ‚*Chimenens Trauerjahr*', der andre[9] aber die ‚*Bérénice*' aus dem Racine ins Deutsche brachte. Alle dreie wurden mit ziemlichem Beifalle aufgeführet, so daß man dergestalt schon acht regelmäßige Tragödien in Versen auf unserer Schaubühne sehen konnte. Ich schweige, was wir der geschickten Feder Hrn. Kochs, eines der geschicktesten Akteurs herin, zu danken haben, der uns ein paar Stücke von ‚*Titus Manlius*' selbst geliefert, den ‚*Verheirateten Philosophen*' aus dem Französischen übersetzet, die ‚*Sinilde*' aber aus des Hrn. Geh. Sekr. Königs Opera ‚*Sancio*' entlehnet und mit einiger Veränderung in eine Tragödie verwandelt hat.

Nachdem ich also beiläufig eine kurze Historie von der angefangenen Verbesserung der deutschen Schaubühne gegeben: So muß ich endlich auch auf meinen ‚*Cato*' kommen und überhaupt von der Einrichtung dieses Stückes Red und Antwort geben.

Cato von Utica ist zu allen Zeiten vor ein ganz besonderes Muster der stoischen Standhaftigkeit und der patriotischen Liebe zur Freiheit gehalten worden. Poeten, Redner, Geschichtschreiber und Weltweisen haben ihn in ihren Schriften um die Wette bewundert und gepriesen. Sogar unter dem unumschränkten Regimente der römischen Kaiser, welche alle Cäsars Nachfolger waren, konnten sich die größten Leute in Rom nicht enthalten, diesen eifrigen Verfechter einer freien Republik zu loben, der in dem ersten Unterdrücker derselben alle Fortpflanzer seiner Herrschaft und Regierung vor Tyrannen erkläret hatte. Virgil und Horaz haben dieses unter Augusts Regierung, Lucan und Seneca aber unter dem Claudius und Nero getan. Maternus, ein Poet, der nach dem Berichte des alten ‚*Gespräches von Rednern oder von den Ursachen der verfallenen Beredsamkeit*' eine Tragödie von dem Cato gemachet, muß auch etwa um diese Zeiten gelebet haben: Und sein Trauerspiel wird ge-

7. 1734 erschienen; vgl. ‚*Schaubühne*' 2. Teil.
8. Johann Friedrich von Heynitz.
9. Adolf Bernhard Pantke.

wiß den Haß gegen das monarchische Regiment nicht undeutlich oder schwach ausgedrücket haben, weil seine guten Freunde es vor anzüglich und gefährlich hielten, wie aus dem angezogenen ‚*Gespräche*' gleich im Eingange erhellet.

Cato hat sich in Utica selbst ermordet. Diese außerordentliche Todesart hat sein Ende zu einer Tragödie überaus geschickt gemacht, und es ist also kein Wunder, daß die Poeten aller Nationen diese Begebenheit in solcher Absicht ergriffen und sie auf die Schaubühne zu bringen bemüht gewesen. Der obgedachte Maternus ist wohl der erste gewesen, der unter Catons Landsleuten solches versuchet hat: Nur ist es zu bedauren, daß dieses Trauerspiel verlorengegangen. Ohne Zweifel würden wir in demselben starke Überreste einer römischen, das ist edlen Liebe zur Freiheit und einen großen Haß wider die Tyrannei angetroffen haben, die durch den nahen Eindruck, den so viel ungerechte und grausame Kaiser erhabnen Gemütern damals machten, ziemlich lebhaft werden vorgestellet worden sein.

Etwa im Jahr 1712, und also vor zwanzig Jahren, hat sich Addison, ein englischer Staatssekretar und berühmter Poet, an eben diesen Helden gemacht und im Anfange des 1713ten Jahres seinen ‚*Cato*' wirklich aufführen lassen, wie ich aus dem ‚*Guardian*' ersehe. Es ist unbeschreiblich, mit was für einer Begierde dieses Trauerspiel von jedermann besuchet und wie wohl es von allen, die es gesehen, aufgenommen worden. Es kann sein, daß die Neigung der englischen Nation zu ihrer Freiheit und der ihr gleichsam angeborne Abscheu vor einem tyrannischen Regimente viel dazu beigetragen, daß die Vorstellung eines eben so gesinnten Römers ihnen so wohl gefallen. Allein, so viel ist auch gewiß, daß dieses Trauerspiel sehr viele wahrhafte Schönheiten in sich hält, die nicht nur Engelländern, sondern allen vernünftigen Zuschauern von der Welt gefallen müssen. Die Charaktere, Sitten und Gedanken der Personen sind überaus wohl beobachtet: Sonderlich ist Cato selbst als der redlichste Patriot, als der tugendhafteste Mann und vollkommenste Bürger einer freien Republik darinnen vorgestellet. Doch dieses Trauerspiel bedarf meines Lobes nicht, da es auch in einer ungebundenen französischen Übersetzung schon diesseits des Meeres überall Beifall gefunden hat.

Fast um eben die Zeit, oder doch nicht viel später, hat sich auch in Frankreich jemand an diese tragische Begebenheit gemacht und sie auf die Schaubühne gestellet. Dieses war Herr Deschamps, der mir nicht weiter als aus seinem ‚*Cato*', der im Haag 1715 herausgekommen, bekannt ist. Es scheinet, dieser Poet habe des Hrn. Addisons Arbeit noch gar nicht gesehen gehabt oder vielleicht gar nichts davon gewußt, als er sein Trauerspiel unternommen: Denn beide haben nicht die geringste Ähnlichkeit miteinander. Man findet eine ganz andre Fabel, andre Personen, andre Verwirrungen und eine andre Auflösung derselben darinnen als in der englischen Tragödie. Nur des Cato sein Charakter ist darin ebenso fürtrefflich beobachtet als in Addisons ‚*Cato*' immermehr geschehen: Wenn man nur den Tod selbst, ja die ganze letzte Handlung ausnimmt. Denn wie ich bald erinnern will, so hat die englische Tragödie hierin ihren besonderen Vorzug: Da hergegen die französische ihrer regelmäßigen Einrichtung nach der englischen weit vorzuziehen ist.

Wer da weiß, daß die afrikanische Königin Sophonisbe auch das Glück gehabt, von vier heutigen Nationen in Trauerspielen aufgeführet zu werden, nemlich von Italienern, Franzosen, Engelländern und Deutschen: Den wird es nicht wunder nehmen, daß Cato auch dieser Ehre würdig geschätzet worden. Nur ist es zu beklagen, daß sich unter uns Deutschen keine geschicktere Feder an diese Arbeit gemacht als eben die meinige. Eben diese Erkenntnis meiner Unfähigkeit aber hat auch verursachet, daß ich mich nicht unterfangen habe, eine ganz neue Fabel zum Tode Catonis auszusinnen. Zweene von meinen Vorgängern waren mir bekannt, und ich habe mir beider ihre Stücke zunutze gemacht, so daß man, wie dort von Terenz gesagt wird, auch von mir sagen kann:

Quae convenere in Andriam ex Perinthia,
Fatetur transtulisse atque usum pro suis[10].

Mein Trost aber ist gleichfalls, daß ich eben so wohl, als

10. *„Was nun aus der ‚Perinthia' für die ‚Andria' paßt', nahm er herüber, gibt er zu, und brauchts als eigen."* (Vorrede zur ‚*Andria*', Übersetzung von V. von Marnitz.)

dort an einem andern Orte geschieht, mit dem Exempel andrer berühmter Poeten entschuldiget werden kann:

> *Habet bonorum exemplum: quo exemplo sibi*
> *Licere id facere, quod illi fecerunt, putat*[11].

Denn zu geschweigen, daß Terentius selbst vielmals aus dem Menander ganze Stücke, doch mit einiger Veränderung, entlehnet oder anders zusammengesetzet hat; so haben ja auch die größten französischen Tragödienschreiber, z. E. Corneille und Racine, sehr oft den Sophokles und Euripides der Griechen dergestalt gebraucht, daß sie selbige teils nachgeahmet, teils übersetzet, teils nach ihrem eigenen Kopfe in etlichen Stücken was verändert haben: Wie unter andern aus dem ‚*Ödipus*‘ und der ‚*Iphigenia*‘ zu ersehen ist.

Nun ist es zwar gewiß, daß man mir anfänglich eine bloße Übersetzung des englischen ‚*Cato*‘ zugemutet, wozu ich auch in reimlosen Versen den Anfang gemachet, wie neulich in den ‚*Beyträgen zur Critischen Historie der Deutschen Sprache*‘ eine Probe davon mitgeteilet worden[12]. Allein, nachdem ich die ganze Einrichtung desselben nach theatralischen Regeln untersuchte, so fand ich, daß selbiger so regelmäßig bei weitem nicht war als die französischen Tragödien zu sein pflegen. Die Engelländer sind zwar in Gedanken und Ausdrückungen sehr glücklich; sie formieren gute Charaktere und wissen die Sitten der Menschen sehr gut nachzuahmen: Allein, was die ordentliche Einrichtung der Fabel anlangt, darin sind sie noch keine Meister, wie fast aus allen ihren Schauspielen erhellet. Nun wollte ich auf unsrer deutschen Schaubühne nicht gern ein neues Muster aufführen lassen, so den Feinden aller Regeln einen neuen Vorwand geben könnte zu sagen, daß ein Stücke auch ohne dieselben schön sein könne. Daher änderte ich meinen Vorsatz und beschloß, einen ganz andern ‚*Cato*‘ als den, den Addison gemacht hatte, zu verfertigen.

Es kam mir hier ungemein zustatten, daß die französische Arbeit des Hrn. Deschamps weit genauer den Regeln Aristo-

11. *„Vorbilder hat er, treffliche, nach deren Vorbild er glaubt, er dürft' es machen, wie jene es gemacht.“* (Vorrede zum ‚*Heautontimorumenos*‘, Übersetzung von V. von Marnitz.)
12. 1. Bd. S. 99 ff.

telis und andrer Kunstrichter gefolget war: Ja die kritische Vergleichung, so am Ende derselben befindlich ist, bekräftigte mich in meinen Gedanken von den Fehlern des englischen ‚*Cato*'. Zum 1) hat Addison gleichsam drei Fabeln in einer gemacht, davon eine jede vor sich alleine bestehen kann und nichts zu der Hauptfabel beiträgt, ja dieselbe oft dem Zuschauer oder Leser aus den Augen bringet. Das Hauptwerk ist dieses. Cato ist nebst wenigen Römern, und einiger numidischen Reuterei, in Utica von Feinden umschlossen. Cäsar schickt zu ihm und bietet ihm den Frieden an. Man schlägt ihn aus; Cäsar läßt seine Armee anrücken; Cato sieht kein Mittel, ihm zu widerstehen, und ersticht sich.

Diese Haupthandlung nun zu verlängern, sind zwei Nebenfabeln mit eingeschaltet. Die erste ist diese: Portius und Marcus, Catons Söhne, lieben die Lucia, eines römischen Ratsherrn Tochter. Portius, dem sein Bruder sein Geheimnis anvertrauet, verhält sich als ein rechtschaffener Mensch, ohne seiner eigenen Liebe Eintrag zu tun oder seinen Bruder zu verraten. Indessen wird Marcus ermordet, und Portius bekommt die Lucia.

Die andere ist folgende: Der junge Prinz Juba liebt Catons Tochter Marcia, die von dem Sempronius, einem römischen Ratsherrn, auch geliebet wird. Dieser ist ein Verräter und will den Cato ausliefern. Syphax, ein Numidier, will ihm darin behülflich sein; und die Soldaten empören sich schon: Cato besänftiget sie aber. Sempron verkleidet sich in des Juba Kleidung und will die Marcia entführen. Darüber wird er von dem Juba erstochen, der endlich die Marcia bekommt.

Diese beide Zwischenfabeln haben nun mit der Hauptsache, das ist dem Tode Catons, keine andere Verknüpfung, als daß sie zu einer Zeit und an einem Orte vorgehen. Sie gehören also gar nicht mit dazu und streiten wider die Einheit der Handlung, die in jedem Schauspiele sein muß: Zu geschweigen, daß es nicht sehr wahrscheinlich ist, daß man zu einer solchen Zeit, da alles in Lebensgefahr stund, auf viele Liebesverwirrungen werde gedacht haben. Auch die possierliche Verkleidung des Sempronius sieht viel zu komisch vor eine Tragödie aus. Cato selbst kommt in den ersten Handlungen selten in seiner rechten Größe zum Vorschein, außer da er den Aufruhr stillet und den Tod seines Sohnes Marcus beklaget. Die ganze übrige Zeit wird mit fremden Dingen, die ihn nicht viel angehen, zugebracht.

Zum 2) aber hangen auch die Auftritte der englischen Tragödie sehr schlecht aneinander; wovon Aubignac in seiner ‚*Pratique du Théâtre*' kann nachgesehen werden. Die Personen gehen ab und kommen wieder, ohne daß man weiß warum, und die Schaubühne bleibt oft leer, wenngleich noch keine Handlung aus ist. Endlich sind auch oft die Szenen gar nicht abgeteilet, wenngleich neue Personen auftreten oder alte abgehen, welches bei den Franzosen niemals geschieht, weil es eine Unordnung in dem äußerlichen Ansehen verursachet.

Endlich zum 3ten gefiel mirs im englischen Trauerspiele nicht, daß der sterbende Cato, dieser strenge Verfechter der Freiheit, der ganz andre Dinge im Kopfe hatte, noch in seinem Letzten ein paar Heiraten bestätigen muß. Das Hochzeitmachen hat in theatralischen Vorstellungen dergestalt überhandgenommen, daß ich es längst überdrüssig geworden bin. Die Alten haben es überaus selten angebracht, und ich habe es daher auch hier versuchen wollen, ob denn ein Trauerspiel nicht ohne die Vollziehung einer Heirat Aufmerksamkeit erlangen könne? Dieses ist mir denn eben nicht übel gelungen: Obgleich hier noch nicht halb soviel von der Liebe geredet worden als in des Racine ‚*Bérénice*', wo es gleichfalls zu keiner Vermählung kömmt.

Fragt mich nun jemand: Warum ich nicht den ganzen französischen ‚*Cato*' übersetzt? So sind dieses meine Ursachen. So wahrscheinlich anfänglich die ganze Fabel eingerichtet ist und so groß Cato in den ersten Handlungen dargestellet wird: So schlecht kommt mir die letzte Handlung vor. Er läßt diesen großen Mann nicht als einen Weltweisen, sondern als einen Verzweifelnden sterben. Es entsteht ein Tumult in Utica, der von dem Pharnaz herrührt: Und da Cäsar eben daselbst zugegen ist, seine Soldaten aber außer der Stadt meinen, ihr Haupt sei in Gefahr, so dringen sie herein und hauen alles darnieder. Darüber nimmt sich Cato das Leben. Das heißt aber gar zu sehr wider die Wahrheit der Geschichte und wider den philosophischen Charakter des Cato gehandelt.

Hernach hatte man hier dem Cato gar keinen Sohn gegeben: Gleichwohl waren die Stellen im englischen Trauerspiele gar zu schön, wo er den einen Sohn tot vor sich siehet und den andern zur Feindschaft der Tyrannei ermahnet, als daß ich sie hätte weglassen sollen. Ich habe also den Portius beibehalten, ob ich ihm gleich ganz andre Szenen gegeben, als in den beiden Tragödien geschehen; den Marcus aber habe ich nur tot vor ihn bringen lassen, nachdem ihn Pharnaz erleget hatte. Dieses mußte ich geschehen lassen, weil ich keinen Sempronius oder Syphax mehr hatte, der in dem englischen Stücke befindlich war. Die letzte Handlung habe ich also fast ganz aus dem Addison beibehalten, außer daß ich die Personen geändert und die Heiraten des Portius und des Juba weggelassen habe. Den Cato hergegen habe ich ganz was anders aus dem Deschamps davor sagen lassen, ehe er stirbt.

Übrigens wird ein jeder wohl sehen, daß hier sowohl die Person der Arsene als ihre dem Pharnazes versprochene Ehe nur erdichtet worden. Herr Deschamps hat sich deswegen in seiner Vorrede sattsam gerechtfertiget: Weil dasjenige, was uns die Geschichte vom Tode Catons lehren, viel zu kurz gewesen wäre, eine ganze Tragödie auszufüllen. Es ist aber alles sehr wahrscheinlich eingerichtet, so daß niemand was Widersprechendes darin antreffen wird. Bei dieser Zwischenfabel nun, die sich so genau zur ganzen Hauptgeschichte schicket, hat man Gelegenheit, eine sehr lasterhafte Person gegen die Tugend des Cato zu stellen, um dieselbe desto mehr zu erheben: Wie etwa die Maler durch den Schatten das Licht desto mehr zu erhöhen wissen.

Ebenso verhält sichs mit der Person Cäsars. In der Tat ist selbiger nicht nach Utica gekommen, sondern es ist abermals nur erdichtet worden, um diese zween große Römer gegeneinander zu halten und den Unterscheid einer wahren und tugendhaften Größe von einer falschen zu bemerken, die aus einem glücklichen Laster entstehet, so zuweilen den Schein der Tugend annimmt. Die Auftritte, da Cato und Cäsar miteinander sprechen, haben daher nicht wenig beigetragen, daß ich die Einrichtung der französischen Fabel der englischen vorgezogen. Der Verfasser hat auch die Kunst gewußt, die Gegenwart Cäsars in Utica so wahrscheinlich zu machen, als es möglich gewesen: Indem er gedichtet, daß dieser Held nicht nur aus Begierde zum Frieden, sondern auch aus Liebe zu der vermeinten parthischen Königin sich in diese Gefahr gewaget. Was waget nemlich ein Verliebter nicht, um seinen Gegenstand zu sprechen! Oder vielmehr, was hatte Cäsar bei einem redlichen Cato vor Gefahr zu befürchten?

Endlich muß niemand denken, als wenn die Absicht dieses Trauerspieles diese wäre, den Cato als ein vollkommenes Tugendmuster anzupreisen, nein, den Selbstmord wollen wir niemals entschuldigen, geschweige denn loben. Aber eben dadurch ist Cato ein regelmäßiger Held zur Tragödie geworden, daß er sehr tugendhaft gewesen, doch so wie es Menschen zu sein pflegen; daß sie nemlich noch allezeit gewisse Fehler an sich haben, die sie unglücklich machen können. So will Aristoteles, daß man die tragischen Hauptpersonen bilden soll. Durch seine Tugend erwirbt sich Cato unter den Zuschauern Freunde. Man bewundert, man liebet und ehret ihn: Man wünscht ihm daher auch einen glücklichen Ausgang seiner Sachen. Allein, er treibet seine Liebe zur Freiheit zu hoch, so daß sie sich in einen Eigensinn verwandelt. Dazu kommt seine stoische Meinung von dem erlaubten Selbstmorde. Und also begeht er einen Fehler, wird unglücklich und stirbt: Wodurch er also das Mitleiden seiner Zuhörer erwecket, ja Schrecken und Erstaunen zuwege bringet. Man hat ihn selbst zuletzt noch einen Seufzer zu den Göttern tun lassen, um dieselben um ihre Barmherzigkeit anzuflehen, im Fall er irgend zuviel getan hätte. Dieses kann allerdings auch ein Weltweiser tun: Wie man den von dem Aristoteles schreibt, daß er mit dem Seufzer verschieden sei: Ens entium miserere mei![13]

Wie ich nun in dem allen die Regeln der Alten von Trauerspielen aufs genaueste beobachtet zu haben glaube: Also habe ich das Vergnügen gehabt zu sehen, daß dieses Stück auch Gelehrten und Ungelehrten in der Aufführung gefallen und vielen von beiden Gattungen Tränen ausgepresset hat. Es ist wahr, daß die gute Vorstellung der theatralischen Hauptpersonen viel dazu beigetragen; dar-

13. *„Wesen der Wesen erbarme dich meiner!"*

unter gewiß Cato, Portia und Cäsar die vornehmsten sind. Deswegen habe ich auch kein Bedenken getragen, nach dem Exempel der Franzosen und Engelländer, die Namen dieser und aller übrigen geschickten Personen hierbei bekanntzumachen. Ich überlasse es also verständigen Lesern, ob sie auch ohne die äußerliche Vorstellung bei eigener Aufmerksamkeit einige Bewegungen dabei empfinden werden.

Geschieht dieses, so bin ich zufrieden, daß ich zum wenigsten das Gute der französischen und englischen Stücke nicht verderbet habe. Denn überhaupt bekenne ich, daß alles, was an diesem meinem ‚*Cato*' zu loben sein wird, von dem Addison und Deschamps herrühret; alles Schlechte aber mir selber und meiner Unfähigkeit in der tragischen Poesie zuzuschreiben sei. Ich erkenne es also nunmehro selbst, wiewohl zu spät, daß ich lieber einen bloßen Übersetzer abgeben als mich selbst gewissermaßen zu einem tragischen Poeten hätte aufwerfen sollen.

STERBENDER CATO

Ein Trauerspiel

PERSONEN

Cato	Hr. Kohlhardt
Arsene oder Portia	Fr. Neuberin
Portius, *Catons Sohn*	Hr. Suppich
Phenice, *Arsenens Vertraute*	Jgfr. Buchnerin
Phocas, *Catons Bedienter*	Hr. Gottschalck
Pharnaces, *König aus Pontus*	Hr. Neuber
Felix, *sein Bedienter*	Hr. Türpe
Cäsar	Hr. Koch
Domitius, *sein Bedienter*	Hr. Jacobi
Artabanus, *ein Parther*	Hr. Schönemann
Catons Gefolge	
Cäsars Gefolge	

Der Schauplatz ist in einem Saale des festen Schlosses in Utica, einer wichtigen Stadt in Afrika

Die Geschicht oder Begebenheit des ganzen Trauerspiels hebet sich zu Mittage an und dauret bis gegen der Sonnen Untergang

Die erste Handlung

ERSTER AUFTRITT

Arsene. Phenice.

ARSENE

Phenice, komm nur her, hier will ich mich verweilen;
Allhier soll Cato mir den besten Trost erteilen.
Von ihm erwart ich ihn, er ist der große Mann,
Auf den das freie Rom noch einzig bauen kann.
Ich selbst will ihm mein Glück und Leben anvertrauen, 5
Bei ihm will ich mich frei von so viel Wettern schauen,
Die mich bisher bestürmt. Mein Vater, wie man spricht,
Arsaces, hat nunmehr das letzte Lebenslicht
Mit Tod und Gruft vertauscht. Pharnaces aber lebet!
Und weil er sich hieher nach Utica erhebet: 10
So dringt das Unglück itzt ganz häufig auf mich ein,
So muß ich überall geplagt und trostlos sein.

PHENICE

Prinzessin, soll der Held, vor dem sich Pontus beuget,
Der Euch so zärtlich liebt, Euch so viel Gunst bezeuget,
Sagt, soll Pharnaces nicht den Wunsch erfüllet sehn, 15
Als Euer Bräutigam . . .

ARSENE

Er? Das wird nie geschehn!

PHENICE

Warum entsetzt Ihr Euch? Prinzessin, da die Mienen,
Da selbst die Seufzer Euch schon zu Verrätern dienen.
Umsonst verstellt Ihr Euch. Die Tränen fließen zwar:
Allein aus Liebe bloß. Gestehts nur, ists nicht wahr? 20

ARSENE

Ich habe freilich mich bisher vor dir verstecket
Und meine Schwachheit noch kein einzigmal entdecket.
Mein Vater lebte noch. Wie hätt ichs wohl gewagt,
Da mir sein hartes Wort das Lieben untersagt?
Die Klugheit lehrte mich die Neigung zu verhehlen 25
Und aus Verstellung den, der ihm gefiel, zu wehlen.
Wie teuer kömmt uns doch der hohe Stand zu stehn!
Wie grausam pflegt man nicht mit Fürsten umzugehn!
Man ist in Wahrheit nicht sein eigner Herr zu nennen.
Ein unschuldvoller Trieb, davon die Herzen brennen, 30
Muß ein Verbrechen sein. Man opfert uns dem Staat,
Und wer aus Sehnsucht liebt, begeht den Hochverrat.
Doch, endlich hab ich nun als Königin zu sprechen:
Drum will ich gegen dich mein langes Schweigen brechen.
Ich will die Glut gestehn, davon mein Herze brennt, 35
Die noch kein Mensch gespürt und die noch niemand kennt.
Phenice, kannst du dich des Römers noch entsinnen,
Den Cäsar einst gesandt, den Vater zu gewinnen?

PHENICE

Sehr wohl! Er zeigte sich in allem als ein Held.
Die Parther haben oft das Urteil selbst gefällt: 40
Es sei was mehr in ihm, als man geglaubt, verhanden,
Weil sie bei ihm durchaus was Königliches fanden.

ARSENE

O Himmel! Hätt ich es auch damals wohl gedacht,
Daß nur ein Augenblick, der mich entzückt gemacht,
Mir so viel Kümmernis und Tränen kosten sollte? 45
Denn als der Römer da den Einzug halten wollte
Und an des Vaters Hof sich würklich sehen ließ,
Empfand ich, daß er stets mein Auge nach sich riß.
Sein Ansehn, Gang und Blick schien ungemein und prächtig,
Und seine Majestät war meiner Brust zu mächtig. 50
Kurz, er bezwang mein Herz durch einen schnellen Sieg,
Weil ihm was Göttliches aus Stirn und Augen stieg.
Jetzt trotzt sein Heldenmut, in Cäsars Dienst, dem Glücke.
Und mein verliebtes Herz beweinet mein Geschicke.

PHENICE

Prinzessin, kann es sein? Ists möglich, daß Ihr liebt 55
Und gleichwohl den nicht kennt, dem sich das Herz ergibt?
Wie heißt der Sieger denn?

ARSENE

Ich kann ihn zwar nicht nennen,
Doch gab sein edles Tun ihn sattsam zu erkennen.
Denn wem das Schicksal schon die Krone zugedacht,
Nimmt gleich an andern wahr, was sie zu Fürsten macht. 60
Die Ahndung der Natur gibts heimlich zu verstehen
Und läßt sich nicht so leicht betrüglich hintergehen.
Doch, Cato kömmt bereits. Phenice, siehst du nicht,
Daß seiner Weisheit Strahl durch Schmerz und Kummer bricht.
Bewundre doch den Held! Er hat nicht seinesgleichen, 65
Die Götter haben ihn mit vielen Unglücksstreichen
Bisher umsonst versucht. Er steht noch immer fest:
Weil ihn sein starker Mut nicht einmal wanken läßt.
Er bleibet gleichgesinnt bei allen ihren Schlägen
Und setzet ihrem Zorn nichts als sich selbst entgegen. 70
Ein vielmal größer Lob!

DER ANDERE AUFTRITT

Cato. Arsene. Phenice. Catons Gefolge.

CATO

Ich höre, Königin,
Ihr seid so kummervoll als Rom, als ich itzt bin.
Das Schicksal drücket Euch und uns mit gleichen Händen.
Arsaces ist nun tot. Wohin wollt Ihr Euch wenden?
Indessen wartet nur auf keinen Trost von mir! 75
Ihr seid so unverzagt in Eurer Not als wir.
Ihr mögt Euch, wie Ihr wollt, mit fremder Kleidung decken,
Man sieht ein römisch Herz in Eurem Busen stecken.
Nunmehr erwegt es wohl: Da Euer Vater fällt
Und Euch ein stolzes Volk die Krone zugestellt: 80

Sagt, ob der teure Bund, den er und wir beschworen,
Durch seinen Tod die Kraft und Gültigkeit verloren?

ARSENE

Nein, Herr, er steht noch fest. Der unbesiegte Phrat
Verehrt den Friedensschluß mit Euch und Eurer Stadt.
War Euch Arsaces treu, ich bins mit stärkerm Triebe: 85
Nur denket mir nicht mehr an des Pharnaces Liebe!

CATO

Wie? Königin!

ARSENE

So ists. Denn als vor kurzer Zeit
Ein Krieg der Römer Macht und unser Reich entzweit:
So wißt Ihr selber wohl, wie Crassus umgekommen,
Als unsrer Parther Schwert ihm Volk und Sieg genommen. 90
Allein Ihr wißt wohl nicht, was da Pharnaces tat?
Mein Bruder, der nach mir das Rund der Welt betrat,
Pacor, der jüngste Sohn von meines Vaters Ehe,
Um den ich itzo noch in tiefer Trauer stehe,
Der unsers Volkes Lust, der Feinde Schrecken ward, 95
Den ließ Pharnaces selbst, nach Meuchelmörder Art,
In einer strengen Schlacht durch Hinterlist ermorden:
Dieweil des Bruders Arm ihm selbst zu stark geworden.

CATO

O welch ein Bubenstück! Ich hab es nicht gewußt:
Doch rührt mich, Königin! der Schmerz in Eurer Brust. 100

ARSENE

Ja glaubt nur, Cato, glaubt sein grausames Verfahren:
Weil Schwert und Arme stets von Lastern blutig waren.
Er hatte diesen Mord bishero ganz versteckt:
Nur gestern hat ihn mir der Bösewicht entdeckt,
Der selbsten dazumal das Blut Pacors vergossen, 105
Weil sein Gewissen ihm die Lippen aufgeschlossen.
Nun, da der Parther Reich in Fried und Ruhe steht,
Soll er der Bräutgam sein, der mir zur Seite geht!
Wer schon in Lastern steckt, wird insgemein verwegen.

Pharnaces wagte sich, mir Netz und Strick zu legen; 110
Er kam an unsern Hof und suchte mich zur Braut:
Ich ward ihm spinnenfeind, sobald ich ihn geschaut.
Und dennoch ließ ich mich, gleich zahmen Opfertieren,
Geduldig bis nach Rom zur Hochzeitfeier führen.
Doch hab ich Hymens Joch bisher noch nicht gesehn: 115
Der Römer Zwietracht machts, daß es noch nicht geschehn.
Der Krieg, Pompejens Fall und Cäsars Siegeszeichen,
Die ließen den Pharnaz aus seinem Staat nicht weichen.
Und dieses zwang auch mich, zu Euch, mein Herr, zu fliehn;
Nun kömmt er gleichfalls her, die Hochzeit zu vollziehn; 120
Wiewohl, ich wüßte nicht, was ich beginnen sollte,
Wenn seine Raserei mich irgend zwingen wollte.

CATO

Prinzessin, diese Stadt kann Eure Zuflucht sein,
Selbst Cato schließet sich in ihre Mauren ein.
Rom seufzet, und es steht das Capitol in Flammen! 125
Hier zieht die Freiheit noch die letzte Kraft zusammen,
Mit der die Republik gewiß zugrunde geht,
Und wenn sie einmal fällt, wohl niemals aufersteht.
Das beste Kriegesvolk hat sich hieher gezogen;
Doch ist uns sonderlich die Tugend selbst gewogen: 130
Sie schützet Turn und Wall, ja selbst die Billigkeit
Scheut hier die Waffen nicht und folgt uns in den Streit.
Hier laß ich unsern Rat noch einst zusammenkommen;
An Anzahl hat er zwar sehr merklich abgenommen:
Doch an der Hoheit nicht, so ihm die Tugend gibt, 135
Die mehr ein redlich Herz als Glanz und Ansehn liebt.
Hier können Könige noch eins so sicher wohnen,
Als wo man sie verehrt, als auf den höchsten Thronen.
Das Recht beschützt Euch selbst; drum dämpfet Gram und Pein
Und bauet nur, wie Rom, hinfort auf mich allein. 140
Mein Schicksal lenkt mich stets, die Bosheit zu bestreiten,
Und sollt ich mir dadurch mein eigen Grab bereiten!

ARSENE

Nein, Herr, ich bitte, gebt der Ahndung kein Gehör!
Das höchstbedrängte Rom braucht so ein Haupt noch mehr,

Denn zweene können itzt nicht wohl entbehret werden,
Im Himmel Jupiter und Cato hier auf Erden.
Wiewohl, es kömmt vielleicht Pharnaz in kurzem her;
Darum entfern ich mich. Sein Anblick fällt mir schwer.
(Sie geht ab.)

CATO
(allein)

Ich spüre neuen Trieb, Arsenen zu beschützen.
Allein, was seh ich doch aus ihren Augen blitzen?
Sie gleicht der Portia! Mein Kind lebt fast in ihr!
Doch, Phocas läßt sich sehn; was will er doch bei mir?

DER DRITTE AUFTRITT

Phocas. Artabanus. Cato.

PHOCAS

Herr, dieser Tag hebt an das Ungemach zu dämpfen.
Ein neuer Beistand kömmt und hilft uns künftig kämpfen.
Ihr wißt es selber wohl, dafern Ihr Euch besinnt.
Als Eure Gattin starb, blieb Euch ein junges Kind.
Des Crassus Ehgemahl erzog es bei den Scharen,
Die wider den Arsaz mit ihm zu Felde waren,
Im fernen Orient. Und damals ists geschehn,
Daß wir von Parthern uns einmal umringt gesehn;
Die Festung ward bestürmt, darin wir uns befanden,
Das Schwert fraß alles weg: Es war kein Rat vorhanden!
Ich ganz allein entkam dem grimmigen Geschick
Und bracht Euch schreckenvoll die böse Post zurück.

CATO

Warum erneuerst du ein traurig Angedenken?
Und warum soll mich itzt ein alter Kummer kränken?
Weil ich die Portia, mein Kind, daselbst verlor?

PHOCAS

Ich hab es auch geglaubt und konnte nichts davor;
Allein, sie lebet noch!

CATO

Wie? Was? Mein Kind am Leben?
Was sagst du?

PHOCAS

Ja, mein Herr! Ihr seht mich selber beben; 170
Ich bin so wohl erstaunt als Ihr dabei erschreckt:
Doch Artaban hat mir die Heimlichkeit entdeckt.
Ich hab ihn hergebracht, Euch alles zu erklären:
Was Ihr nur wünschen könnt, das kann er Euch gewehren.
Er riß mich dazumal, als er mein Sieger war, 175
Mit großmutvoller Faust aus tödlicher Gefahr.
Nun hat Arsaces selbst ihn zu Euch hergeschicket,
Und ich erkannt ihn gleich, sobald ich ihn erblicket.

ARTABANUS

Arsaces hatte nur ein einzig Ehepfand,
Ein wohlgeratnes Kind an Schönheit und Verstand. 180
Das starb in seinem Arm. Ich hab es selbst gesehen,
Und also war es fast um Thron und Reich geschehen.
Ein jeder Prinz und Fürst, der seinen Hof betrat,
Zerteilte schon vergnügt der Parther weiten Staat.
Ein unbeerbtes Reich hätt jeder gern gewonnen 185
Und zeitig einen Grund zum Aufruhr ausgesonnen.
Drum machte man den Tod Arsenens nicht bekannt,
Bis bald darauf Arsaz die Römer überwand.
Der Himmel und der Sieg erfüllte sein Verlangen,
Und ich bekam im Streit die Portia gefangen. 190
Dieweil sie nun, mein Herr, an Jugend und Gestalt
Arsenen ähnlich war, so hab ich sie alsbald
Arsacen überbracht: Der nahm die junge Schöne
Vergnügt zur Tochter auf und nannte sie Arsene.
Dies hat er sterbend Euch im Schreiben kundgetan, 195
Das Euch noch mehr entdeckt, als ich berichten kann.

(Er überreichet dem Cato das Schreiben.)

CATO

(liest)

Arsaces an den Cato.
Es würde grausam sein, wenn ich erblassen sollte
Und Eure Tochter Euch noch länger bergen wollte.

Durch ihre Tugenden ist sie der Ehre wert,
So ihr durch Eure Huld und Liebe widerfährt.
Erkennt dann Euer Blut und liebt es in Arsenen!
Und will sie meinen Thron und Purpur nicht verhöhnen,
So nehmt doch ihrer Hand der Parther Zepter nicht:
Indem ihr Regiment der Welt was Guts verspricht.

ARTABANUS

Erwegt nunmehro selbst, ob Ihr es wollt entdecken?
Wo nicht, so kann man es noch fernerhin verstecken.
Befehlt nur, was Ihr wollt. Ich bin sogleich bereit
Und führe willig aus, was Cato mir gebeut.
(Er gehet ab.)

DER VIERTE AUFTRITT

Cato und Phocas.

CATO

Wie? Soll mein eigen Blut mir Brust und Herz zerreißen?
Was? Eine Königin soll Catons Tochter heißen?
Ihr Götter! Schützt ihr so des Cäsars Tyrannei
Und stürzt das arme Rom in seine Sklaverei?
Ihr gebt mir zwar mein Kind durch eure Gunst zurücke,
Allein, es ist dabei ein Scheusal meiner Blicke.
Ihr Anblick war mir lieb; doch dein zu strenger Schluß,
Verhängnis! kehrt die Lust in Jammer und Verdruß.
Wie kann mir Portia im Kronenschmuck gefallen?
Mein Blut erlaubt es zwar, doch Rom verbeut es allen!
Ach! Cato, diesmal kann, zu deiner größten Pein,
Ein zärtlich Vaterherz kein römisch Herze sein.
Nein, nein, sie soll und muß des Thrones sich entschlagen!
Nur eilend, bringt sie her, der Herrschaft abzusagen.

PHOCAS

Wie das, Herr? Wird denn itzt nicht zu des Reiches Heil,
Durch des Geschickes Huld, ihr Zepter uns zuteil?

Ihr seht ja, wie es steht. Wird uns vor Cäsars Waffen 225
Ein Utica mehr Schutz als Afrika verschaffen?
Wird das verjagte Rom in dieser Mauren Kreis
Vor ihm gesichert sein? Nein, Cato, nein, ich weiß,
An Beistand fehlt es uns! Sonst hat der Krieg ein Ende,
Und Rom gerät nebst uns dem Sieger in die Hände. 230
Ja, glaubt, die Königin, als Eure Tochter, stellt
Zu unsrer Freiheit Schutz ein parthisch Heer ins Feld.
Entdeckt ihr, wer sie ist, und lehrt sie ihr Geschlechte:
Doch laßt ihr Thron und Reich und bringet Rom zurechte.
Das Schicksal war Euch hold, drum helft ihm selber nun; 235
Sein Beistand machts nicht aus; man muß das Seine tun!

CATO

Welch unerhörter Rat! Meinst du, daß Freveltaten
In einer Tugend Dienst auch tugendhaft geraten?
Betrüge dich doch selbst mit leerer Hoffnung nicht!
Mit was vor einer Stirn, mit welchem Angesicht 240
Würd ich, und Rom dazu, durch ungerechte Waffen
Des angemaßten Reichs, der Freiheit Hülfe schaffen?
Da schlüge Jupiter mit Blitz und Donner drein!
Vielmehr soll Utica mein Scheiterhaufen sein.
Wir würden sträflicher als Cäsar selber werden. 245
Was recht und billig ist, sonst rührt mich nichts auf Erden!
Tyrannen helfen sich durch Schand und Laster auf;
Doch wer die Tugend liebt, geht lieber selbst darauf.
Die Götter haben selbst, im Aufruhr jener Riesen,
Sich zornig und gerecht, nicht lasterhaft erwiesen. 250
Wir sind bestürmt, wie sie, bedrängt und kummervoll;
Was hinderts, daß man nicht der Tugend folgen soll?

PHOCAS

Sitzt Portia denn nicht mit Recht auf ihrem Throne?
Die Götter fehlen nie, die schenkten ihr die Krone!
Bedünkts uns ungerecht? Ach! Unser Augenschein 255
Kann hier von ihrem Tun kein rechter Richter sein;
Man unterwerfe sich nur dem, was sie befehlen;
Schlagt nie das Mittel aus, so sie uns selber wehlen.
Zum mindsten macht uns erst ein Opfer beim Altar
Des Schicksals letzten Schluß im Eingeweide klar. 260

CATO

Wer? Ich sollt allererst in toten Opfertieren
Des Gottes, der mich treibt, Befehl und Willen spüren?
Der mir doch damals schon, eh ich das Licht erblickt,
Den Trieb zur Billigkeit in Herz und Sinn gedrückt.
Der lenkt ohn Unterlaß mein Tichten und mein Trachten
Und treibt mich, lebenslang die Tugend hoch zu achten,
Dem Laster feind zu sein, so mächtig es auch ist;
Gesetzt, daß ich dabei zugrunde gehen müßt!
Der lehrt mich, Rom sei nur zur Freiheit auserkoren
Und habe die Gewalt der Könige verschworen.
Ja, der beut uns auch itzt der Parther Zepter an,
Zur Prüfung, ob man ihn beherzt verschmähen kann?
Drum laßt uns standhaft sein und solchen Beistand fliehen!
Die Tugend weiß uns schon aus der Gefahr zu ziehen.
Man rücke nur getrost auf den Tyrannen los,
Und jedes Herze sei von edler Hoffnung groß.
Darf uns nur künftig nichts von unserm Tun gereuen,
So sind wir stark genug, Tyrannen zu zerstreuen.
Allein, Pharnaces kömmt. Geh zu der Tochter hin,
Doch sag ihr noch kein Wort, daß ich ihr Vater bin;
Auch Artaban sei still. Ich wills ihr selber sagen
Und sehn, ob ihr Gemüt auch aus der Art geschlagen?

DER FÜNFTE AUFTRITT

Cato und Pharnaces.

CATO

Ein andrer würde itzt in tausend Ängsten sein,
So sehr stimmt das Geschick mit unsern Feinden ein.
Der junge Scipio und Juba sind geschlagen;
Nur Cäsar triumphiert auf seinem Siegeswagen.
Bei uns hergegen, Prinz, gibt es mehr Mut als Glück,
Vielleicht hält dieser noch des Schicksals Haß zurück.
Getrost und standhaft sein, das stärkt und lehrt die Herzen,
Aus Hoffnung auf den Sieg Gefahr und Not verschmerzen.

PHARNACES

Ich war von Jugend auf den Römern zugetan
Und nahm von ihnen, Herr, ein standhaft Wesen an.
Ihr wißt es, Cäsars Macht besiegte meine Staaten;
Doch blieb mir noch ein Rest von Freunden und Soldaten.
Die Flotte, so sie führt, liegt schon vor Utica 295
Und ist, dafern Ihr wollt, zu Eurer Rettung da.

CATO

Er zieht schon auf uns los; es wird nicht lange dauren,
So sieht ihn Utica ganz nah an seinen Mauren.
Drum eilet nur, mein Prinz, und kommet ihm zuvor:
Erzwingt mit mir den Sieg, den Rom bisher verlor. 300

PHARNACES

Ich folge gern, mein Herr. Die Götter sollen zeugen,
Daß Cäsar oder ich ein sterbend Haupt soll neigen;
Allein, Ihr wißt auch wohl, Arsenens Mund und Hand
Versprach mir schon vorlängst ein festes Eheband;
Bevor mich nun die Wut noch wird zur Rache lenken, 305
So laßt die Hochzeitlust . . .

CATO

Daran ist nicht zu denken!

PHARNACES

Wie das, mein Herr?

CATO

Ihr meint, sie sei die Königin?

PHARNACES

Was denn?

CATO

Erkennt sie nur vor eine Römerin;
Und sagt mir: Kann man wohl nach unsern Grundgesetzen
Die Eh mit Königen vor recht und billig schätzen? 310

PHARNACES

Was hör ich? Götter! O! das ist aus List geschehn!

Ich hab Arsenen ja im Königsschmuck gesehn;
So pflegen sich gewiß die Römer nicht zu zeigen!

CATO

Ich weiß es ganz gewiß; doch muß ichs noch verschweigen:
Allein, in kurzem wird Arsenens wahrer Stand,
Durch meinen eignen Mund, ganz Utica bekannt.

PHARNACES

O Cato, scheuet Euch, was Heimlichs zu entdecken,
Es möcht Euch solches einst zu späte Reu erwecken.
Ich stund auf der Partei, dabei Pompejus war,
Drauf raubte Cäsar mir mein Erbreich ganz und gar.
Ich mußte meine Macht in wenig Schiffe fassen
Und so mein ganzes Glück den Wellen überlassen,
Die Hoffnung wies mir noch Arsenens Heirat an,
Die mir ein mächtig Land zum Brautschatz bringen kann.
Ist diese nun umsonst, so war mein Dienst vergebens,
Ach, schont doch Eures Staats, der Freiheit und des Lebens!
Denn herrscht Arsene nicht, so flieh ich Utica,
So ist sein Untergang und Roms Verderben nah.

CATO

Zieht hin, mein Prinz, zieht hin. Wer zwingt Euch hier zu bleiben?
Wir wollen schon allein den Feind zurücketreiben.
Das unbezwungne Rom, so itzo durch mich spricht,
Erniedrigt sich vor Euch und Euresgleichen nicht.

DER SECHSTE AUFTRITT

Cato. Pharnaces. Felix.

FELIX

Die Felder werden voll von Cäsars wilden Scharen,
Und Utica soll selbst den ersten Sturm erfahren;
So werdet Ihr samt uns dem Sieger untertan.

CATO

So feure man denn hier auch unsre Römer an!
Ich eile selbst, dem Heer ein Herze zuzusprechen;
Wir wollen Cäsars Macht auch sonder Beistand brechen.
Geht nur, Pharnaces, geht und steht ihm selber bei!
Seht, Cato schickt Euch selbst zur siegenden Partei 340
Und fürchtet nicht einmal, das Treffen zu verlieren,
Gesetzt, dort wär ein Feind und König mehr zu spüren.

DER SIEBENDE AUFTRITT

Pharnaces. Felix.

PHARNACES

Wie? Straf ich denn den Haß und die Verachtung nicht,
Womit die Eitelkeit der stolzen Römer spricht?
Nein, meiner Rachgier Lauf soll nichts zurückehalten, 345
Die Glut, so mich entbrannt, soll nicht so leicht erkalten!
Was mach ich länger hier? Es kostet einen Streich,
So hab ich mit Gewalt Arsenens Herz und Reich.
Er soll das Opfer sein!

FELIX

Wer?

PHARNACES

Cato!

FELIX

O ihr Götter!
Herr, Euer Bundsgenoß? Beschützer und Erretter? 350

PHARNACES

Mein Haß hat sich bisher der Freundschaft gleichgestellt:
Ich bin den Römern gram. Hier siehst du einen Held,
Den Mithridat erzeugt. Du kennest diesen Namen:
Erkenne denn in mir den Rest von seinem Samen!

Ich habe wider ihn den Römern zwar gedient,
Weil ihrer Waffen Glück im Orient gegrünt.
Ich sah mehr als zu wohl an seinen grauen Haaren,
Daß solche Krieger ihm zu stark und mächtig waren.
Verlör er nun das Reich, so käm ich doch als Sohn,
Weil ich gut römisch schien, vielleicht noch auf den Thron.
So ging es auch: Denn Rom gab mir den Zepter wieder;
Nunmehro leg ich denn auch die Verstellung nieder.
So lange Rom geblüht, sah ich sein Wachstum an
Als einer, der es haßt, doch ihm nicht schaden kann.
Erwege, wie vergnügt ich nachmals zugesehen,
Als durch der Zwietracht Wut die Trennungen geschehen,
Wenn der Parteien Schwert sich wechselsweise schlug,
Ein Römer wider Rom Gewehr und Harnisch trug.
Um meine Rache nun vollkommen auszuüben,
Hab ich hernach den Bund Pompejens unterschrieben.
Ich hoffte, dieser Krieg würd lang und allgemein
Und beiden Teilen einst zugleich verderblich sein.
So dacht ich mit der Zeit die Herrscher zu verbannen
Und selbst die Häupter Roms noch in mein Joch zu spannen.
Doch, Felix, der Erfolg zeigt itzt das Gegenteil.
Ich bin den Römern itzt selbst wie ein Opfer feil.
Selbst Cato tat es kund. Jedoch, ich muß nur schweigen,
Um dies Geheimnis noch nicht jedem anzuzeigen.
Geh, Timon und Arbat soll augenblicklich gehn,
Und Cäsarn Catons Kopf mit nechstem zugestehn:
Doch so, daß er davor mir Pontus wiedergebe
Und auf Arsenens Thron mich ungesäumt erhebe.
Mein Ruhm erfodert das! Was wagt man um ein Reich:
Ein glücklich Bubenstück sieht oft der Tugend gleich.

FELIX

Dergleichen Mord, mein Herr, wird Cäsar nicht verlangen.
Er will nur, wie man spürt, mit eignen Taten prangen,
Es wäre selbst der Sieg bei ihm nicht angenehm,
Im Fall der Lorbeerzweig von fremden Armen käm.
Wohl hundertmal hat man sein bloßes Schwert erblicket,
Das auf Pompejens Hals sein eigner Arm gezücket:
Allein, die Strafe fiel auf Ptolomäus Haupt,
Dieweil er Cäsars Faust die Freveltat geraubt.

PHARNACES

Es war ein andrer Grund, warum er umgekommen.
Denn seine Tyrannei hatt' überhandgenommen;
Er hatte Cäsarn schon ein Gleiches zugedacht, 395
Drum zog er dazumal die ganze Kriegesmacht
Bis an den fernen Nil und strafte den am Leben,
Sein eignes nicht sobald gewaltsam aufzugeben.
Dergleichen Ungelück betrifft mich nicht so leicht!
Ich folg, in Cäsars Dienst, den Göttern, wie mich deucht. 400
Ich weiche, so wie sie, dem Glücke, so ihn schützet.
Auf Lastern liegt sein Grund, durch Laster wirds gestützet.
Der Ehrsucht opfert er ganz Rom und alles auf:
Vor Catons Mord erfolgt für mich noch mehr darauf!
Wohlan, nun will ich auch die Unschuld nicht mehr hören; 405
Ich muß, wie Cäsar tat, die Macht durch Bosheit mehren.
Ein Frevel hilft mir leicht und schafft mir Thron und Ruh;
An ein paar Lastern liegts, so fällt mir alles zu.

(Ende der ersten Handlung.)

Die andere Handlung

ERSTER AUFTRITT

Domitius. Phocas.

DOMITIUS

So kömmt denn Cato her, mein Phocas?

PHOCAS

Wie gesagt;
Er selbst versprach es mir, als ich darnach gefragt.
Allein, ich wundre mich und kanns Euch nicht verschweigen,
Schickt Cäsar Euch denn her, was Gutes anzuzeigen?
Will er den schweren Krieg, der längst die Welt gedrückt,
Vielleicht geendigt sehn? Wohin das Auge blickt,
Da sieht man auch die Spur der rasenden Soldaten
In so viel rauchenden und ganz verheerten Staaten.

DOMITIUS

Ich tu es alsobald dem Cato selber kund.
Ihr wißt, wer Fürsten dient, hält gerne reinen Mund.
Doch geht indessen nur zur Königin und saget:
Daß Pallas sich mit mir an diesen Ort gewaget,
Weil er was Heimliches ihr hinterbringen soll.

PHOCAS

Ich gehe. *(Phocas geht ab.)*

DOMITIUS

Cäsar ist zwar ruhm- und ehrenvoll:
Doch liebt sein tapfres Herz im Kriegen und im Streiten
Der Parther Königin, Arsenens Lieblichkeiten.
Doch Cato kömmt bereits. Sein Anblick bringt in mir
Viel Ehrerbietigkeit vor so ein Haupt herfür.

DER ANDERE AUFTRITT

Cato. Domitius.

CATO

Wohlan! Domitius, was habt Ihr mir zu sagen?

DOMITIUS

Ich hab Euch auf Befehl des Cäsars vorzutragen –

CATO

Wie? Cäsar gibt Befehl, und Ihr gehorcht ihm gern?

DOMITIUS

Ja freilich.

CATO

Armer Sklav! Leibeigner deines Herrn! 430
Das heißt der Eltern Grab durch deinen Schimpf entehren;
Die wollten in der Welt von keinen Herren hören!
Ists möglich, daß in dir des großen Brutus Blut,
Von dem du stammen willst, nicht bessre Regung tut?
Half nicht sein tapfrer Mut, aus Abscheu vor Tyrannen 435
Die königliche Macht aus Latien verbannen?
Und du, sein echter Sohn! führst solche wieder ein,
Ja willst ein Römer bloß zu Roms Verderben sein?

DOMITIUS

Welch Laster ist es denn? Er ist ja Bürgemeister!

CATO

Ja, sprich vielmehr, Tyrann und Haupt der Plagegeister: 440
Hat ihm wohl Rat und Volk, wie man vordem geschaut,
Das Bürgemeisteramt gutwillig anvertraut?
Verwegenheit und List sind deines Herren Rechte,
Verheert und plagt er nicht das menschliche Geschlechte?
Es ist ja seine Lust, wenn er nur Tränen sieht 445
Und das sonst freie Rom zum Sklavenjoche zieht.
Ja, wo die Götter uns nicht augenscheinlich retten,
So legt der Wütrich noch die ganze Welt in Ketten.

DOMITIUS

Ach, gebt dem Neide doch nicht alsofort Gehör!
Sein unverschämtes Maul verlästert ihn zu sehr;
Er sucht nur überall die Gleichheit einzuführen.
Meint Ihr, ich wollte selbst die Freiheit gern verlieren?
So wahr ich römisch bin! Bei aller Götter Macht
Beteur ichs hier vor Euch, daran ist nie gedacht!
Wenn das die Absicht wär, ich wollt ihn selber fällen,
Ich selber würde gleich zum wütenden Rebellen.
Da würde diese Faust der Freiheit Schutz genannt
Und Cäsars Freundschaft ganz aus meiner Brust verbannt.
Doch itzt gehorch ich ihm und tu es ohne Sünde:
Weil ich den Gegenpart weit ungerechter finde.
Denn steht ihm Cato bei, das macht: Ein großes Herz
Erleichtert immer gern der Unterdrückten Schmerz.

CATO

Ihr schmeichelt mir umsonst; wer Cäsarn billig nennet,
Der hat mich selber schon vor ungerecht erkennet.
Glaubt mir, Domitius, Ihr kennt noch Cäsarn nicht;
Die Larve deckt noch stets sein falsches Angesicht.
Besiegt er mich dereinst, dann werdet Ihr ihn kennen
Und Euch, wiewohl zu spät, von ihm betrogen nennen.
Wir haben oftmals schon das Laster erst erblickt,
Wenn es durch unsre Schuld uns gänzlich unterdrückt.
Den strafet ein Tyrann zuallererst am Leben,
Der ihm behülflich war, ihn auf den Thron zu heben.
Erzittre! – Doch genug; nun mache mir bekannt,
Warum man dich hieher nach Utica gesandt?

DOMITIUS

Herr, Cäsar wollte gern, der Römer Wohlfahrt wegen,
Mit Euch allein allhier was Großes überlegen.

CATO

Er komme, wenn er will; ich bin darzu bereit:
Allein, was fordert er zu seiner Sicherheit?

DOMITIUS

Auf Eure Tugend, Herr, ist sicher gnug zu bauen:
Wiewohl Pharnaz ist hier; dem ist nicht wohl zu trauen.

CATO

In Utica ist er mir gleichfalls untertan.
Dies Schloß, darin wir sind, stößt an die Mauren an
Und schützt die ganze Stadt. Wir Römer halten Wache,
Daher bedarf es nicht, daß man sich Sorgen mache.
Pharnaz ist ohnedem am Ufer bei der See 485
Und forscht, wie es allda um seine Flotte steh.
Sein Volk darf näher nicht nach unsern Toren dringen;
Man gibt auf alles acht, auf ihn vor allen Dingen.
In diesem Schlosse nun kann es gar leicht geschehn,
Daß Cäsar mit mir spricht, eh ihn ein Mensch gesehn. 490
Entfernen nemlich sich die nahen Legionen,
So will ich auch das Tor mit der Besatzung schonen:
So ist vor ihn und mich vollkommne Sicherheit.
Doch in des Herzens Grund dringt Cato jederzeit!
Mein Blick reißt jedermann die Larve von den Augen, 495
Die reine Wahrheit nur, sonst kann vor mir nichts taugen.
Das tut dem Cäsar kund! Des Redens Überfluß
Verblendet mich nicht so wie den Domitius.

(Er geht ab.)

DER DRITTE AUFTRITT

Arsene. Phenice. Domitius.

ARSENE

Domitius, man sagt, Eur Cäsar liebt Arsenen?
Man tu ihm wieder kund, sie werd ihn nur verhöhnen. 500
Es ist mir unbekannt, wo es zuerst geschehn,
Daß er mein Angesicht, so schlecht es ist, gesehn?
Mein Reich ist mit Gewalt und Waffen nicht zu zwingen,
Drum will er es mit List zu seiner Herrschaft bringen
Und hüllt die Kronensucht, vermutlich nur zum Schein, 505
In Amors Würkungen, in Lieb und Neigung ein.
Mein Zepter steht ihm an!

DOMITIUS

Er pflegt sie auszuteilen,
Er setzt ja Fürsten ab und krönt sie auch zuweilen.

Prinzessin, ist ein Held, der alle Welt besiegt,
Nicht würdig, daß er Euch gebückt zu Füßen liegt?
Ihr seht ja, daß sogar die Götter ihm hiernieden
Ihr halbes Regiment, die halbe Macht beschieden.
Der Himmel bleibt ihr Sitz, da herrschen sie allein,
Der Erdkreis soll hinfort nur Cäsarn dienstbar sein.

ARSENE

Geht, geht, Domitius. Doch welch ein Ungelücke!
Pharnaz erscheinet hier. Verdrießliches Geschicke!

DER VIERTE AUFTRITT

Arsene. Phenice. Pharnaces.

PHARNACES

Vernehmt mich, Königin, und flieht mich nicht so sehr!

ARSENE

Verfolgt Ihr mich auch hier? Und quält Ihr mich noch mehr?
Erweckt des Bruders Tod und ein gerechtes Sehnen,
Das meine Brust erfüllt, mir nicht schon tausend Tränen?

PHARNACES

(vor sich)

Du kennst dich selbst noch nicht und weißt nicht, wer du bist.
Ich spüre, daß das Glück mir doch noch günstig ist.

(Zu ihr.)

Ihr seht mich, Königin, von Zorn und Grimm entflammet,
Ihr seid in Utica von jedermann verdammet.
Die Römer, Cato selbst, verschwert sich wider Euch
Und raubet Euch bereits des Vaters Thron und Reich.
Ich überlasse sie hinfüro Cäsars Ketten;
Was soll ich länger noch die Undankbaren retten?
Kommt, Schönste, flieht mit mir die Ungerechtigkeit!
Mein Heer erwartet uns, die Flotte steht bereit,
Uns bald und ungesäumt an jenen Strand zu führen,
Wo Euer Wort und Wink ganz unumschränkt regieren.

ARSENE

Ihr klagt den Cato an? Kann das wohl glaublich sein?
Beschließt er was von mir? Gut, ich geh alles ein.
Das Laster zittert nur, wenn uns die Tugend schützet. 535
Ich weiß auch schon, wer sich durch Trug und List beschmitzet.
Ein Maul, das Bosheit liebt, an Tücken fruchtbar ist,
Und sonder Büberei fast nie die Lippen schließt,
Will mich ohn alle Pracht aus Utica entführen
Und nachmals ohne mich der Parther Reich regieren. 540
Pharnaz, was stört Euch so? Was gilts, daß mein Verdacht
Den Kläger furchtsamer als den Beklagten macht.

PHARNACES

Getrost! Was zwing ich mich? Was darf ein Weib mich quälen?
Es kostet nur ein Wort, ich darf ja nur befehlen.

ARSENE

Du gründest dich vielleicht auf das versprochne Band? 545
Ach! Ich verfluchte stets dergleichen Ehestand
Und wußte doch noch nicht, daß durch dein kühnes Morden
Mein eigner Bruder war ins Grab gestürzet worden.
Vergebens ward von dir die Freveltat versteckt,
Die Zeit, so alles lehrt, hat sie auch mir entdeckt. 550
Ich weiß, was du getan, und muß dich ewig hassen.
Es mag das Schicksal mich nur ganz und gar verlassen.
Ihr Götter! gießet nur auf meines Vaters Haus
Und auf mein eigen Haupt den vollen Eifer aus.
Das alles wird und soll mich nicht so sehr betrüben, 555
Darf ich nur nicht an dir den Brudermörder lieben.
Nein, du wirst nimmermehr mein Mann und Bräutigam.
Mein Herz ist voller Haß und bleibt dir ewig gram
Und würde doppelt froh vor Glück und Wohlfahrt blühen,
Könnt ich aus eigner Macht nur dich zur Strafe ziehen. 560

PHARNACES

Prinzessin, bändigt doch den allzukühnen Mund,
Sonst wird Euch endlich noch Pharnacens Rache kund.

DER FÜNFTE AUFTRITT

Portius. Arsene. Pharnaces. Phenice.

PORTIUS

Mit was für Heftigkeit hör ich Pharnacen sprechen?

ARSENE

Kommt, edler Portius, Ihr müßt den Frevel rächen.
Pharnaces ist zu frech. Er ist noch nicht vergnügt, 565
Daß meines Bruders Leib vorlängst im Staube liegt,
Dahin er ihn gestürzt: Er will auch mich hier zwingen,
Der Parther Erbreich ihm zum Brautschatz mitzubringen.
Er klagt recht freventlich den großen Cato an,
Von dem ich nimmermehr was Böses glauben kann. 570
Der, spricht er, wolle mich des Thrones unwert schätzen;
Jedoch, das tut er nur, sich selbst darauf zu setzen.
Ich weiß, daß Cato mir den Beistand zugesagt,
Als ich vor kurzem ihm mein Ungelück geklagt.
Drum kommt und rettet mich und Eures Vaters Ehre 575
Und gebt, mein Portius, der Hinterlist die Lehre,
Daß Rom die Bosheit nicht in Schutz zu nehmen pflegt
Und keine Königin in Mörderarme legt.

PORTIUS

Pharnaz, was hör ich da? Mein Vater! Ein Betrüger?
Das sagt auch Cäsar nicht, der ungerechte Sieger. 580
Die Bosheit lehrt Euch das, weil Euch bei aller List
Arsenens Herz und Reich von ihm versaget ist.
Prinzessin, bauet nur auf meines Vaters Worte.
Ihr lebt in Utica, dem wohlbewahrten Orte,
Wo sonder Catons Wink Euch niemand schrecken kann. 58
Pharnaces selbst ist ihm vollkommen untertan.

PHARNACES

Wer? Ich? Ihm untertan?

PORTIUS

In Pontus seid Ihr König,
Doch nicht in Afrika. Hier gilt ein Prinz sehr wenig!

Prinzessin, sorgt nur nicht vor Eure Sicherheit.
Wenn alles Euch verläßt, ist Portius bereit 590
Und folgt des Vaters Spur, die Unschuld zu beschützen.
Befehlt, so soll mein Stahl vor Eure Wohlfahrt blitzen.
(Arsene geht ab.)

DER SECHSTE AUFTRITT

Pharnaces und Portius.

PHARNACES

Und du verwegner Mensch erhebst dich wider mich
Und meinst, der Parther Reich sei noch vielleicht vor dich?
Arsene könnte noch vielleicht dich selbst erhöhen? 595
Umsonst! Ein Kind kann nicht in Amors Schule gehen.
Geh, lern erst tapfer sein; geh unter Stahl und Glut!
Und härte dir zuvor den zartgewehnten Mut:
Denn komm und laß dir auch nach Lieb und Kronen dürsten.

PORTIUS

Pharnaz, ein Römer tauscht nicht mit den größten Fürsten! 600
Arsene zwar ist schön und aller Liebe wert,
Ich hätt ihr, glaub es nur, mein Herze schon erklärt,
Entsprösse sie nur nicht aus königlichem Samen.
Allein, itzt schreckt mich auch der bloße Königsnamen.
Ja, ja, Pharnaz, Ihr irrt. Ich suche keinen Thron, 605
Ihr wißt ja, wer ich bin. Erkennt hier Catons Sohn,
Der mit der Muttermilch den Königshaß gesogen.
Ach, wär Arsene nur auch römisch auferzogen!

PHARNACES

Sie ist es freilich wohl! Denn was verhehl ichs viel?
Seht, Euer Vater treibt mit Euch und mir sein Spiel, 610
Er hat sie mir versagt, bloß weil sie römisch wäre;
Ist solches nun nicht wahr, wo bleibt denn Catons Ehre?

PORTIUS

Was hör ich? Cato sprichts, sie sei nicht Königin?

PHARNACES

So ist es, Cato hieß sie eine Römerin.

PORTIUS

Wenn das mein Vater spricht, so darf ichs sicher glauben; 615
Denn Cato lüget nicht! Er setzt kein Wort auf Schrauben.
Wohlan! Ich ruhe nicht, bis ich es ausgefragt,
Ob mir Pharnaces dies mit Wahrheit vorgesagt.

(Er geht ab.)

PHARNACES

Das hab ich wohl gedacht! Er ehrt und liebt Arsenen;
Nun wird die Trotzige mich desto mehr verhöhnen. 620
Erfährt sie nemlich auch, daß sie nicht parthisch sei,
So ist mein Hoffen aus. Genug! Es bleibt dabei:
Auch Portius soll bald sein junges Leben schließen.

DER SIEBENDE AUFTRITT

Felix und Pharnaces.

PHARNACES

Ach komm, mein Felix, komm! Die Zeit muß nicht verfließen . . .

FELIX

Hier bin ich schon, mein Herr, nun kehrt sich alles um. 625

PHARNACES

Wieso? Rückt Cäsar an? Ich gäbe was darum!

FELIX

Ach nein, die Zwietracht scheint aus Afrika zu fliehen,
Man sieht die Römer schon den Helm vom Antlitz ziehen.
Sie weinen insgesamt um ihrer Freunde Tod
Und sind den Waffen gram, damit sie sonst gedroht. 630
Man läuft einander da vergnügt und froh entgegen,
Wo sonst die Streitenden erhitzt zu fechten pflegen.

Der Vater zückt nicht mehr das Schwert auf seinen Sohn;
Auch in den Kindern regt das warme Blut sich schon;
Die Arme sind nunmehr der schweren Waffen müde; 635
Und kurz: Es zeiget sich ein allgemeiner Friede!

PHARNACES

Wie? Billigt Cäsar denn, was Timon und Arbat
In meinem Namen ihm vor einen Vorschlag tat?
Gefällt es ihm, sein Reich auf Catons Kopf zu bauen?
Sind beide wieder hier? Ich hab ein gut Vertrauen! 640

FELIX

Nein, Herr, noch sieht man nichts. Und ich begreife nicht,
Was ihrer Wiederkunft im Lager widerspricht.

PHARNACES

Allein, die Zeit vergeht. Wir müssen nichts versäumen,
Den Schutt von Utica auf ewig aufzuräumen.
Durch Morden, Glut und Stahl verkehrt sich das Geschick, 645
So meinem Haupte droht, in ein erwünschtes Glück.

FELIX

Allein, wir sind hier stets den Römern im Gesichte?

PHARNACES

Behutsamkeit und List macht allen Witz zunichte.
Die Arglist sieht so schön als wahre Klugheit aus,
Und ein verschwiegner Feind führt alles wohl hinaus. 650
Du wirst es selber sehn, mein Felix, was ich sage;
Ich kenne dieses Schloß an Festigkeit und Lage.
Mein Vater tat mir einst viel Unrecht und Gewalt,
Drum floh ich und fand hier den sichern Aufenthalt.
Die Felsen, so die Burg auf einer Seite schützen, 655
Daran die Wellen stets mit Wut und Schäumen spritzen,
Sind durch die Fluten hohl und ganz bequem gemacht,
So daß ich damals schon ein Schiff ans Schloß gebracht.
Du weißt, als diese Nacht ein großer Sturm entstanden,
Daß wir uns nicht sehr weit von Utica befanden. 660
Gefahr und Not war groß, die Flotte ward zerstreut,
Doch manches Schiff fand hier gewünschte Sicherheit.

Das weiß hier noch kein Mensch, und niemand kanns
ergründen:
So will ich nun den Weg in diese Mauren finden.
Ich schleiche mich sehr leicht mit einer Schar hinein, 665
Die soll das Werkzeug dann in meiner Rache sein.
Die Wachen reib ich auf, und Cato wird erschlagen,
Die Königin laß ich nach meinem Schiffe tragen;
Hernach steck ich zuletzt mit meiner eignen Hand
Dies Schloß und Utica und Turn und Wall in Brand. 670

FELIX

Fürwahr, der Vorsatz ist so heimlich als verwegen!
Der Himmel, wie mich dünkt, verspricht ihm selbst den
Segen.
Es scheint, das Schicksal ist auf Euren Wink bereit,
Dieweil kein Hindernis den Eingang hier verbeut.
Die Wache wird durchs Schloß bis in die Stadt geführet; 675
Man weiß nicht, wie es kömmt: Und Cäsar triumphieret!

PHARNACES

Gut, Felix, kehre nur bis an die See zurück;
Da wehl ein mutig Heer und komm den Augenblick,
Wenn du die Flamme siehst aus Dach und Türmen dringen,
Mit unverhoffter Macht, mir tapfer beizuspringen: 680
Darauf wird Catons Kopf dem Cäsar überbracht;
Und dir vor andern ist die Ehre zugedacht.

FELIX

Schlagt ihn nur ab, mein Herr! Ich tu, was Ihr geboten,
Und würd ich selbst dabei ein Mitgenoß der Toten.
Ich fürchte mich für nichts als Eurem Zorn und Haß. 685

PHARNACES

So machts, wer treulich dient. Indes verschweige das!
Wer große Dinge wagt, muß heimlich sein und eilen;
Du sollst auch Glück und Ruhm mit deinem Herren teilen.

(Ende der andern Handlung.)

Die dritte Handlung

ERSTER AUFTRITT

Cäsar. Domitius. Cäsars Gefolge.

CÄSAR

So läßt, Domitius, der Waffen Stillstand zu,
Daß ich und Cato hier sogar vertraulich tu? 690
In Wahrheit, bloß sein Wohl hat mich dazu bewogen,
Sonst hätte mich wohl nichts an diesen Ort gezogen.
Doch sage, geht es an, Arsenen erst zu sehn?

DOMITIUS

Mein Herr, was Ihr gewünscht, wird alsobald geschehn.
Doch ob Ihr sie gleich sprecht, so wirds Euch doch nicht glücken, 695
Sie wird Euch, glaubt mir nur, verächtlich von sich schicken.

CÄSAR

Mein Herz ist ohne Falsch und von Verstellung frei.
Die Ehre flieht nicht stets vor Amors Sklaverei,
Drum kann zuweilen auch ein Heldengeist ihm dienen.
Doch, haßt Arsene mich, wie es bisher geschienen: 700
So siegt die Ehre doch! Denn Cäsar ist ein Mann,
Der auch sein eigen Herz zur Not bezwingen kann.
Nein, Amor soll mich nicht so gar in Fessel treiben,
Und Cäsar wird auch wohl im Lieben Cäsar bleiben.
Allein, Domitius, hast du der Königin 705
Auch deutlich vorgesagt, wie groß und wer ich bin?
Und weiß Arsene schon, daß sich vor meinem Degen
Das unbesiegte Rom schon muß zu Boden legen?
Ja daß fast kein Soldat bei meinen Adlern ficht,
Der nicht von Königen als seinen Sklaven spricht? 710

DOMITIUS

Herr, Eurer Taten Glanz und Eures Herzens Triebe,
Das alles lenkt sie noch zu keiner Gegenliebe.
Wiewohl, da Euch bisher das Glück im Streit geblüht,

Ersetzet Mars vielleicht, was Amor Euch entzieht.
Pompejens Überrest an Führern und Soldaten
Wird heute zweifelsfrei in Euer Joch geraten.

CÄSAR

Ist dieser Sieg gewiß, so wird mein Arm schon matt:
Denn wo die Welt für mich mehr Furcht als Liebe hat,
So bin ich mißvergnügt. Es ist zwar schön zu siegen;
Weit schöner aber ists, im Siege sich vergnügen
Und seiner Rachbegier vernünftig Einhalt tun!
Der Römer Ehre muß im Wüten nicht beruhn:
Nein! Rom beherrscht vielmehr der Überwundnen Herzen
Und läßt sich selber wohl die fremden Wunden schmerzen.
Auch Cäsar hatte nie am Blutvergießen Lust:
Es klopft ein zartes Herz in seiner Vaterbrust.
Ihr Götter kennt mich schon! Erfüllt denn mein Verlangen,
Laßt mich den Cato hier und Rom in ihm umfangen!
Das ist das einzige, darnach ich lüstern bin.

DOMITIUS

Mein Herr, wie mich bedünkt, so kommt die Königin.

CÄSAR

Geh, warte dort auf mich, bis ich dich rufen werde.
(Domitius geht ab.)
O welch ein edler Gang! Der Zepter dieser Erde
Wird keinem schöner stehn als ihrer zarten Hand.

DER ANDERE AUFTRITT

Cäsar und Arsene.

ARSENE

(vor sich)
Ihr Götter! Welch ein Schall! Der Ton ist mir bekannt,
Das muß der Römer sein! Ich weiß nicht, ob ich wache?

CÄSAR

Was für Verwirrungen von Abscheu, Haß und Rache

Erfüllen Eure Brust? Bemeistert doch den Schmerz!
Hier opfert sich in mir ein ewig treues Herz.

ARSENE

Mein Herr, ich hab Euch sonst an unserm Hof gesehen,
Als Cäsars Antrag einst durch Euren Mund geschehen: 740
Ich dacht auch in der Tat, er wäre selber hier?

CÄSAR

Ihr seht ihn in Person, o Königin, in mir.

ARSENE

Was? Wollt Ihrs selber sein?
(Beiseite.)
Ach ja, ich muß es glauben,
Was Schlechters konnte mir wohl nie die Freiheit rauben.
Es mußte Cäsar sein, wer mir gefallen sollt. 745

CÄSAR

Ja, schönste Königin, wenn Ihr mich hören wollt,
So hat Seleucia, sobald ich Euch erblicket,
Durch Eurer Schönheit Pracht zuerst mein Herz bestricket.
Der Sieg war dazumal mein vorgestecktes Ziel,
Wiewohl mein Wachstum schon den Römern nicht gefiel. 750
Die Neider meines Ruhms verfolgten meine Waffen,
Und ich bestrebte mich, mir selber Recht zu schaffen.
Fast alles, was ich tat, hieß Rom ein Bubenstück;
Die Bürger wünschten nichts als Cäsars Ungelück:
Indes war ich bemüht, ein neues Reich zu gründen 755
Und überall die Glut des Krieges anzuzünden.
Die Parther waren mir beständig ungeneigt;
Arsazes hat sich stets als meinen Feind bezeigt:
Drum gab ich auch am Phrat mich gar nicht zu erkennen
Und ließ den ganzen Zorn auf Rom allein entbrennen. 760
Das Schrecken und die Furcht ging über Land und Meer,
Wie sonst ein Donnerschlag, vor meinen Waffen her.
Ich siegte; doch der Kranz, der meine Scheitel zierte,
War ein verworfner Schmuck, der meine Brust nicht rührte.
Die Ehre dämpfte zwar den innerlichen Schmerz, 765
Allein, wie quälte mich mein unruhvolles Herz!

Der schöne Gegenstand von meinen zarten Trieben
Bewog mich, auch entfernt ihn unverrückt zu lieben.
Voritzo fühl ich noch ein zwiefach härter Weh,
Indem ich, Königin, vor Eurer Schönheit steh. 770
Es scheint, Ihr hasset mich! O zorniges Geschicke!
Gibst du vor Lieb und Brunst mir lauter Haß zurücke?

ARSENE

Wie wenig kennt Ihr doch den Grund von meiner Pein!
Je mehr ich nach Euch seh, je stärker muß sie sein:
Und darf ich meinen Sinn ganz kurz und deutlich fassen, 775
So nehmt die Antwort an: Ich kann Euch gar nicht hassen!

CÄSAR

Ihr haßt den Sieger nicht, der Euch verehrt und liebt?
Welch unverhofftes Wort! Nun bin ich nicht betrübt.
Die Welt soll bald ihr Glück aus meiner Hand bekommen;
Doch meines hat von Euch den Ursprung hergenommen. 780
Ach, sagts doch noch einmal, dafern ichs würdig bin;
Könnt Ihr empfindlich sein? Sprecht, schönste Königin!

ARSENE

Wie? Hab ichs schon entdeckt, was ich verhehlen sollte?
Wißt Ihr die Neigung schon, die ich verbergen wollte?
Ach! Nun ists viel zu spät, daß sich mein Herz verstellt: 785
Ja, Herr, ich lieb Euch mehr als alles in der Welt.
Das Feuer, so mein Herz in Utica empfindet,
Hat sich vor langer Zeit bereits am Phrat entzündet;
Da war die zarte Brust schon an Empfindung reich;
Sobald ich Euch erblickt, ergab ich mich an Euch. 790
Zwar sprach man mir bisher umsonst von Cäsars Liebe,
Denn ich verfluchte gleich die Flammen seiner Triebe:
Allein, ich wußte nicht, daß Cäsar mir gefiel;
Ein unbekannter Gast war meiner Seufzer Ziel.
So war mein ganzer Haß aus Zärtlichkeit entsprungen, 795
Mein Herz hat, Euch zu gut, auch wider Euch gerungen:
Und kurz, mein Irrtum selbst verführte mich so gar
Zu hassen, was mir doch am allerliebsten war.

CÄSAR

Welch ein erwünschtes Glück! Wenn mich Arsene liebet,

So gibt mir Amor mehr, als Mars mir selber gibet. 800
Ich habe Rom besiegt, und Ihr besieget mich;
Warum verknüpft uns denn nicht Hymen ewiglich?
Der Hochzeitfackeln Glut soll unaufhörlich brennen
Und lauter Lieb und Ruhm anstatt der Nahrung kennen.
Mein Sieg hat in der Welt mir schon viel Neid erregt, 805
Erlaubt, daß so mein Glück die Götter selbst bewegt.
Kommt, Schönste, kommt nach Rom! Die ärgsten
Königsfeinde
Erklären Euch nunmehr, als treugesinnte Freunde,
Vor ihre Königin. Die jüngstbefochtne Schlacht
Hat ihrem Übermut den Untergang gebracht. 810

ARSENE

Es wird noch Trotz genug in Utica gespüret,
Daher auch itzo noch mein ganzer Kummer rühret;
Pharnaz –

CÄSAR

Durch Glimpf und Huld bezwing ich ihn gar bald!

ARSENE

Ach! Cäsar, übt doch stets die freundliche Gewalt.
O ließe Cato sich nur auch so leicht bewegen! 815
Wiewohl sein harter Sinn ist gar durch nichts zu regen.
Mein Herz, wie mich bedünkt, zerteilet sich vor Euch,
Es rührt mich Cäsars Ruhm und Catons Heil zugleich.
Ein unbekannter Zug bewog mich, Euch zu lieben;
Indessen weiß ich nicht, was mich zu ihm getrieben. 820
Nechst Euch ist Cato denn mein Liebstes in der Welt.
Ach! Endigt nur den Krieg, der Euch beschäftigt hält,
Und opfert Euren Haß der Wohlfahrt dieser Erden:
Er kömmt; lebt wohl, mein Herr! Doch laßt es Friede
werden
Und zeiget künftig uns, dem Glücke selbst im Schoß, 825
Ein Cäsar bleibe stets, in Krieg und Frieden groß!
(Sie geht ab.)

CÄSAR

Verlaßt Euch nur auf mich, so könnt Ihr alles hoffen.

DER DRITTE AUFTRITT

Cato und Cäsar.

CÄSAR

Nun, Cato, endlich hat der Wunsch mir eingetroffen,
Daß ich einmal mit Euch vertraulich sprechen kann.
Ich biete Welschland itzt in Euch den Frieden an. 830
Kommt, schließt ihn selbst mit mir und macht der Not ein Ende!
Das hartbedrängte Rom sieht bloß auf unsre Hände;
Versammlet Euren Rat, und schafft noch diesen Tag,
Daß jedermann die Frucht der Eintracht ernten mag.
Die ganze Bürgerschaft verbanne Haß und Rache, 835
Indem ich Euch, nebst mir, zum Bürgermeister mache.

CATO

Wie frech und unverschämt trägst du mir solches an,
Da mir nur Volk und Rat die Würde geben kann?
Denkst du die Tugend denn mit Lastern zu ermüden?
Wir suchen bloß nach Recht und Billigkeit den Frieden! 840
Regiert ein einzig Haupt das große Rom allein,
So wollen wir mit Lust daraus verbannet sein.
Ja, Cäsar, weg von hier mit Königen und Ketten!
Der Römer Überrest will noch die Freiheit retten;
Und läßt sich das nicht tun, so sind wir doch nicht dein. 845
Der Afrikaner Sand soll unsre Freistadt sein;
Hier hab ich selber schon ein Grab für mich erlesen.
Drum, Cäsar, laß uns Rom, wie es vorhin gewesen!
Komm ohne Kriegesvolk, komm ohne Waffen hin,
Komm so, wie ich mich da zu zeigen willens bin: 850
Alsdann so wird man sehn, wer endlich von uns beiden
Noch den Triumph erlangt und welcher Rom muß meiden.

CÄSAR

Was hab ich denn getan? Der Deutschen tapfres Blut
Verehrt durch meinen Dienst der Römer Heldenmut.
Die Meere waren mir kein Hindernis im Siegen, 855
Ich bin den Ozean der Briten überstiegen;
Und doch versaget mir der ungerechte Rat,

Weil mich Pompejus haßt, ein schlechtes Konsulat?
Man will mein tapfres Schwert im Frieden kraftlos machen,
Man gibt mir Aufruhr schuld, und was mein Schweiß,
mein Wachen, 860
Mein eignes Blut verdient, das Bürgermeisteramt,
Fällt meinen Feinden zu? Das, das hat mich entflammt!
Halb rasend fing ich an, der Römer Feind zu werden;
Vergebens waffnet sich der ganze Kreis der Erden,
Ich schlug ihn doch und nahm den Rest zu Gnaden an, 865
Nachdem ich ihn besiegt: Was hab ich nun getan?

CATO

Aus Rachgier, Cäsar, ward das Schwert von dir gezücket,
Da nun Pompejens Fall den Zorn bereits ersticket.
Warum behältst du noch die oberste Gewalt?
Daraus erhellt ja klar, daß man dich billig schalt. 870
Tyrannen schmücken stets ihr Tun mit List und Ränken,
Die Worte sind oft gut, die Tat lehrt, was sie denken.
Man gab dir mit Bedacht kein römisch Konsulat;
Du warest viel zu groß und mächtig vor den Staat.
Und wozu war dir wohl das Vaterland verbunden? 875
Du hattest als ein Held viel Länder überwunden;
Rom hatte triumphiert: Doch das war deine Pflicht.
Ein Bürger dient dem Staat, der Staat dem Bürger nicht.
Die Schuld ist offenbar; der Vorwand ist vergebens.
Den Grachus, wie du weißt, beraubte man des Lebens, 880
Du hast noch mehr verwirkt!

CÄSAR

Wo will der Eifer hin?
Vergeßt Ihr denn, daß ich ein Überwinder bin
Und daß die Römer mich um Gnade bitten müssen?

CATO

Wer voller Unschuld ist, will nichts von Gnade wissen.
Denk, Cäsar, denk einmal an deine Grausamkeit. 885
Und wünsche dir vielmehr, daß die Vergessenheit
Den unerhörten Stolz, der dich betört, begrabe.
Auch Sylla, den ich oft darum gepriesen habe,
Entsagte von sich selbst der Herrschaft und Gewalt

Und fand auch in der Tat der Römer Gnade bald. 89
Dem Beispiel folge nach. So wird dir dein Verbrechen
Vielleicht auch noch geschenkt. Ich selbst will für dich
sprechen!
Wie nun? Du schweigest hier? O Rom! O Vaterland!
Hast du dem Barbar nicht viel Gutes zugewandt?
Und er bestimmt dir stets ein größer Ungelücke. 89
Die Götter zeigen uns viel zornerfüllte Blicke;
Rom streitet mit sich selbst: Die Mutter haßt den Sohn,
Der Legionen Zahl spricht ihren Brüdern Hohn,
Man sieht der Römer Blut auf Römer Hände spritzen,
Die Helden, welche sonst Gesetz und Rechte schützen, 90
Ersticken die Natur und schänden ihr Gebot:
Die Väter streben nur nach ihrer Kinder Tod,
Die Kinder suchen nichts als ihrer Väter Leichen,
Die Mütter sind bemüht, dem Jammer zu entweichen,
Und stürzen sich zuvor in beider bloßes Schwert. 90
Die Herrschaft, Cäsar, ists, was deine Brust begehrt!

CÄSAR

Und Ihr verlanget nichts als Unglück und Verderben!
Ihr wollt entfernt von Rom in Gram und Kummer sterben,
Nur stets geschlagen sein und daß ich eifersvoll
Die Hände stets im Blut der Römer baden soll. 91
Den Frieden schlagt Ihr aus und hasset doch das Kriegen?
An wem wird wohl die Schuld des ganzen Unglücks liegen?
Ist Euch der Römer Blut so wert und hoch geschätzt,
Warum habt Ihr Euch stets den Göttern widersetzt?
Es hat sich ihre Gunst vorlängst für mich erkläret; 9
Sie haben mir bisher noch stets den Sieg gewähret.
Ich mach Euch in der Tat vom Untergange frei;
Und doch bedünkt es Euch, daß ich sehr strafbar sei.
Ihr wollt dem Siege stets Gesetz und Regeln geben:
Ach, laßt mich doch nur selbst nach Ruhm und Ehre streben! 9
Als Sylla Sieger war und als auf einen Tag
Der Römer ganze Zahl zu seinen Füßen lag,
Da konnt er ohne Schimpf den Zepter von sich legen:
Allein, ich muß allhier auch meinen Ruhm erwegen.
Das hieße: Cäsars Mut war endlich doch zu klein. 9
Und kurz: Wo Cäsar herrscht, wird alles glücklich sein.

Denn wahrlich, überall wohin mein Schwert gekommen,
Hat auch der Tränen Zahl ganz merklich abgenommen.
Auch Rom sieht täglich schon ein prächtig Schauspiel an,
Und meine Hand tut mehr, als jemand wünschen kann. 930
Ich will ja nichts als Rom und Welschland glücklich machen!

CATO

Verführen willst du sie! Das zeigt der Lauf der Sachen.
Die List gibt dir das Recht, so du zur Herrschaft hast;
Die Stimmen kauftest du, da du der Schulden Last,
Die manchen Bürger drückt, verschwendrisch aufgehoben: 935
Dem Laster zum Behuf verübst du Tugendproben.
Tyrannen müssen oft der Tugend Freunde sein:
Die Wut versteckt sich oft in einer Wohltat Schein.
Auch ihre Gütigkeit ist billig zu bestrafen.

CÄSAR

Wie? Kann denn Cäsars Zorn bei solchem Frevel schlafen? 940
Erwegt es, wenn ich zürn, so ist ein Augenblick
Schon lang und groß genung zu Eurem Ungelück.

CATO

Wenn ich nicht hoffen darf, die Freiheit zu erwerben,
So bin ich alt genung und will ganz freudig sterben.

CÄSAR

Ach weichet dem Geschick!

CATO

Mein Schicksal heißt: Sei frei! 945

CÄSAR

Glaubt, daß man auch beglückt am Tyberstrome sei.

CATO

Die Tyber soll mich nicht an ihrem Ufer sehen,
Bevor durch meinen Arm die Rettung Roms geschehen.

CÄSAR

Erhaltet doch vielmehr nur Euer eigen Haupt.

CATO

Es ist ein großer Schimpf, wenn man Tyrannen glaubt 95
Und gar von ihrer Hand sein Leben will erhalten.
Der größte Ruhm ist der, sich rächen und erkalten.

CÄSAR

Ihr tretet mir zu nah!

CATO

Ich diene Rom getreu
Und ehre doch zugleich der Götter Rat dabei.

CÄSAR

Die Götter haben mir den Beifall längst gegeben: 95
Erkennt nur ihren Wink; hört auf zu widerstreben!

CATO

In meinem Herzen ist ihr Ausspruch sonnenklar:
Und wäre dieses nicht, so würde mich fürwahr
Der Henker in der Brust mit scharfen Martern plagen;
So aber weiß ich nichts von dieser Qual zu sagen. 96
Wenn ein Tarquin entspringt, sind hundert Bruti da,
Die man noch nie gebückt zu deinen Füßen sah.
Man spricht dereinst von uns wie wir von unsern Vätern:
Sie straften Könige, wir tun es an Verrätern.

CÄSAR

Ach, Cato, schont mich nur mit der Verräterei 9
Und leget sie vielmehr Pompejens Anhang bei.
Ihr denket zweifelsfrei: Pharnaces wird uns stützen!
Allein, es ist umsonst. Er will Euch gar nicht schützen.
Er hat nicht längst an mich zween Boten abgesandt,
Die machten mir von ihm den schnöden Zweck bekannt: 9
Er woll Euch unvermerkt den Dolch ins Herze drücken
Und nachmals Euren Kopf zu mir ins Lager schicken.
Ich nahm sie beide fest; sie sind gefesselt hier:
Bestraft sie selbst und sprecht: Was tadelt Ihr an mir?

CATO

Ja, Cäsar, es ist wahr. Ich muß die Großmut loben; 9

Allein, dein Stolz taugt nichts: Sonst solltest du die Proben
Von meiner Ehrfurcht sehn. Doch stellt Pharnaz mir nach
Und sucht er meinen Kopf, so wie man dir versprach:
So steht der Bösewicht mir zwar nach Leib und Leben;
Doch du bist grausamer!

CÄSAR

Wer? Ich?

CATO

Du bist es eben; 980
Von dir wird Rom und mir die Freiheit selbst geraubt.
Gerechte Götter! Ach! Wer hätte das geglaubt?
Kann ein tyrannisch Herz noch so viel Großmut hegen?
O wärest du geneigt, die Waffen abzulegen!
Itzt bin ich voller Scham, ja fast verzweiflungsvoll, 985
Daß ich dich ehren muß, da ich dich hassen soll.
Laß nach der Grausamkeit die Güte triumphieren!
Laß Rom in Freiheit stehn und Rat und Volk regieren!
Und mache, daß dich einst das hohe Lob vergnügt,
Seht! Cäsar ist ein Held, der auch sich selbst besiegt. 990
Er war uns zwar verhaßt: Itzt müssen wir ihn lieben.
Wir sind durch seine Huld vom Joche frei geblieben.
Es drohte seine Macht uns lauter Sklaverei,
Und itzo sind wir bloß durch seine Gnade frei.
Wiewohl, es ist umsonst. Kein Ruhm kann Euch bewegen, 995
Der Laster schnöder Glanz kann Euch viel stärker regen.
Ihr stammt von Göttern her, so wie Ihr selber sprecht;
Doch seid Ihr, wie man sieht, der tollen Ehrsucht Knecht!
Wollt Ihr Euch darum nur zum Götterchor erheben,
Um aller Menschlichkeit gar gute Nacht zu geben? 1000
Seid Ihr der Götter Sohn, so zeigt auch, daß Ihrs seid:
Nun gleicht man ihnen bloß durch Huld und Gütigkeit!
Allein, die Zeit vergeht, Ihr bleibt bei Euren Sinnen
Und laßt Euch durch Vernunft und Tugend nicht gewinnen.
Ich geh und mache gleich den Römern selber kund, 1005
Was Euer Vorschlag ist. Da mag ihr eigner Mund
Den ganzen Ausspruch tun. Erwehlt man das Verderben:
So tu mans immerhin! Ich will viel lieber sterben!

(Er geht ab.)

CÄSAR

O welch ein edles Herz! Wär ich nicht, was ich bin,
Ich wünschte mir nichts mehr, als Catons freien Sinn,
Der keinen König will. Jedoch, wer kommt gegangen?
Mich dünkt, es ist Pharnaz. Was wird er doch verlangen?

DER VIERTE AUFTRITT

Cäsar und Pharnaces.

PHARNACES

Wie? Cäsar, seid Ihr hier? Und niemand zeigt mirs an?
Warum verhehlt man mir, was Cato wissen kann?
Von ungefehr hab ich die Stimme wahrgenommen
Und bin fast ganz bestürzt an diesen Ort gekommen.
Ich warte mit Begier, daß Timon und Arbat,
Durch welche Botschaft ich Euch einen Vorschlag tat,
Zurückekommen soll. Drum sagt vor allen Dingen,
Was wird man mir von Euch zur Antwort wiederbringen?
Erwegt es, wie Ihr wollt. So glücklich Ihr auch seid,
So fehlt es Euch dennoch an voller Sicherheit.
Das Glücke wechselt stets! Wie leicht kann es geschehen,
Wenn Eure Römer erst den harten Cato sehen,
Der vor die Freiheit kämpft, daß ihr so tapfrer Mut
Auf seine Seite tritt? Bedenket, was Ihr tut!
Die List ist sicherer als offenbare Waffen.
Ich will Euch Catons Kopf ohn alle Mühe schaffen;
Dann hegt der Erdkreis nichts, was Euch die Waage hält,
Dann seid Ihr Herr von Rom und Haupt der ganzen Welt.

CÄSAR

Wie frech erkühnst du dich, durch solche Freveltaten
Die Bosheit deiner Brust vor Cäsarn zu verraten?
Pharnaz, du denkst wohl nicht, daß ich ein Römer bin!
Ich hasse den Betrug! Kein schändlicher Gewinn
Kann mein gesetztes Herz zur Hinterlist bewegen,
Und sollt ich heute noch den Zepter niederlegen.
Geh, schäme dich ins Herz, daß du ein König bist

Und zum Verräter wirst. Mein Schwert braucht keine List!
Die Götter haben mir bisher den Sieg verliehen:
Soll ich vor Utica zuletzt den kürzern ziehen, 1040
Wohlan, ich bin bereit und weiche dem Geschick
Und geb dem Cato selbst die Freiheit Roms zurück!
Du aber sieh dich für, daß die Verrätereien,
Womit du schwanger gehst, dir selber wohl gedeihen.
(Er geht ab.)

PHARNACES

Er geht und dankt mir nicht, daß ichs so gut gemeint? 1045
Das ist der Römer Art! Sie achten keinen Freund.
Wohlan! Geht Ihr nur hin! Der Stolz wird Euch gereuen.
Arsenen raub ich doch! Es soll mir schon gedeihen!
(Ende der dritten Handlung.)

Die vierte Handlung

ERSTER AUFTRITT

Cato und Portius.

CATO

Und Cäsar ist nicht hier? Mein Sohn, was meinest du?
Was man nicht halten will, das sage man nicht zu.
Doch so entzieht er mir den Anblick, der mich kränket,
Mein Herz entsetzet sich, sobald es an ihn denket.
O wären wir nur bald mit Schild und Spieß versehn,
Da sollt ihm schon sein Recht durch meine Faust geschehn!

PORTIUS

Indessen hat er doch das Bubenstück entdecket,
Womit Pharnaces sich nun abermal beflecket.

CATO

Vergebens zeigt er mir den Meuchelmörder an,
Da ich sein eignes Tun ihm nicht verzeihen kann.
Die Bosheit hat ihn selbst zu heftig angestecket!
So sehr hat zwar mein Haß sein Gutes nicht verdecket,
Daß ich nicht sehen sollt, daß er voll Großmut ist.
Es schreckt ihn in der Tat kein Drohen, keine List.
Im Felde sieget er, doch kann er auch verzeihen;
Und wär es Rom erlaubt, ein einzig Haupt zu scheuen:
Vielleicht würd er allein der Ehre würdig sein!
Jedoch er reißt Gesetz und Recht und Ordnung ein
Und sucht das Sklavenjoch auf deren Hals zu dringen,
Die auch wohl Könige vom Thron zu steigen zwingen.
An diesem Triebe nun nach Herrschaft, Macht und Reich
Ist niemand in der Welt dem stolzen Cäsar gleich.
Das machts, daß ich nach ihm mit Zorn und Abscheu blicke!

PORTIUS

Allein, was gibt man ihm vor Antwort mit zurücke?

CATO

Man schlägt ihm alles ab! O Himmel! Wie gesetzt
War unsrer Römer Mut! Wie hab ich mich ergetzt,
Als alle ganz beherzt dem Frieden widerstanden, 1075
Den sie der Freiheit Roms so unanständig fanden.
Ihr Herz war unverzagt und voller Rachbegier;
Wie brach der Heldenmut aus jeder Stirn herfür,
Und was erregte nicht des Vaterlandes Liebe
In jedes Bürgers Brust vor tugendhafte Triebe! 1080

PORTIUS

Auch ich, mein Vater, bin mit Faust und Stahl bereit
Und lege den Versuch von meiner Tapferkeit
Vor Euren Augen ab, um Euch und Rom zu schützen.

CATO

Vor Rom allein, mein Sohn, laß deinen Degen blitzen,
Vor deinen Vater nicht. Und fiel ich ungefehr: 1085
So bleibe du gleichwohl in steter Gegenwehr!
Und zeige Cäsarn einst, daß Cato auch im Grabe
Vor aller Tyrannei den größten Abscheu habe.
Du weißt, daß Hannibal, als er ein Knabe war,
Auf seines Vaters Wort bei Opfer und Altar 1090
Den schweren Eid getan, uns Römer stets zu hassen;
Dich will ich Cäsars Haß und Tod beschweren lassen!

PORTIUS

Ich bin bereit dazu, dieweil ichs schuldig bin.
Doch sagt mir, sollte wohl der Parther Königin
Aus Rom entsprossen sein?

CATO

Wo hast du das vernommen? 1095
Denn von dir selbst ist dirs gewiß nicht eingekommen.

PORTIUS

Pharnaz entdeckte mirs als eine Heimlichkeit
Und sagte, wie mich dünkt, daß Ihr es selber seid,
Von dem die Nachricht kommt.

CATO

Was ist dir dran gelegen?
Erkundigst du dich auch vielleicht der Liebe wegen?
Hast du dich auch vergafft? Ach! Wisse Portius,
Daß man im Kriege nicht ans Lieben denken muß.
Komm, hilf mir erstlich Rom und seine Freiheit retten!
Alsdann erinnre dich der sanften Liebesketten.
Wiewohl, es ist umsonst! Ob sie gleich römisch ist,
So geht es doch nicht an, daß du ihr Freier bist.
Da kömmt sie selber her, du sollst es bald erfahren.

DER ANDERE AUFTRITT

Cato. Portius. Arsene. Phenice.

ARSENE

Mein Herr, ich komme her, der Römer Blut zu sparen.
Ich eile Cäsars Schritt aus Lust zum Frieden vor;
Drum gönnet meinem Wunsch nur ein geneigtes Ohr.
Mein Unglück wird so lang als Roms Verderben währen.
Das Bürgerblut erweckt mir gar zu viele Zähren.
Sobald der Tod den Pfeil auf Eure Krieger zückt,
So wird er, wie mich dünkt, in meine Brust gedrückt.
Ich muß die Römer mehr als meine Parther lieben.
Vielleicht tu ich zuviel mit den verkehrten Trieben!
Ich bin als Königin den Königsfeinden hold,
Die ich, nach meiner Pflicht, recht tödlich hassen sollt.
Mein Herz empört sich stark und murrt so sehr darwider,
Als trät ich die Natur und ihr Gesetz darnieder.

CATO

O liebten sich doch auch die guten Römer so!
So würden wir nach Schmerz und Unglück endlich froh.
Ihr habt ein größer Herz als Königinnen haben,
Es liegt was Römisches in Eurer Brust begraben.
Arsene, glaubt es nur, ja macht es offenbar,
Der Götter Fügung selbst erklärt es schon für wahr.

PORTIUS

(seitwerts)

Das hab ich nur gewünscht! Pharnaz hat nicht gelogen!

ARSENE

Mich dünkt, das ganze Heer ergreift schon Schwert und Bogen.

Der Stillstand ist bald aus! Drum, Herr, verlängert ihn:

Seht, Cäsar will sich hier um meine Gunst bemühn. 1130

CATO

Prinzessin, was war das?

ARSENE

Ich will sein Herze lenken,

Der Himmel scheint mir ja ein großes Reich zu schenken:

Der größten Ehrbegier genügt an meinem Thron;

Und so bezwing ich denn auch Cäsars Herze schon!

Alsdann soll er nebst mir der Parther Reich regieren, 1135

Und Rom wird keinen Zwang von seinem Zepter spüren:

Der Friede soll die Frucht von meiner Liebe sein.

CATO

Was hör ich! Welch ein Schmerz nimmt Geist und Glieder ein!

Ihr liebet Cäsarn selbst? O Himmel! Was für Plagen

Soll meine Tugend noch erdulden und ertragen? 1140

Das Glück versucht an mir fast alles, was es kann,

Weil ihm mein Widerstand vielleicht zu weh getan.

Ihr Götter! War der Schimpf nicht groß genug zu nennen,

Sie durch die Krone schon verunehrt zu erkennen?

Und muß es gar geschehn, daß des Tyrannen Bild 1145

Durch zarte Liebesglut ihr Innerstes erfüllt!

ARSENE

Was macht Euch so bestürzt? Was kann Euch so bewegen?

Kann das, was ich gesagt, so viele Wut erregen?

Was hab ich denn versehn, daß mich der Zorn betrifft?

Erklärt Euch!

CATO

Nimm und lies; es ist Arsacens Schrift.

ARSENE

Mit Zittern faß ich hier des Vaters eigne Zeilen:
Es scheint ein harter Fall mein Herz zu übereilen.
(Sie öffnet den Brief und liest.)
Es würde grausam sein, wenn ich erblassen sollte
Und Eure Tochter Euch noch länger bergen wollte:
Durch ihre Tugenden ist sie der Ehre wert,
So ihr durch Eure Huld und Liebe widerfährt.
Erkennt denn Euer Blut und liebt es in Arsenen;
Und will sie meinen Thron und Purpur nicht verhöhnen,
So nehmt doch ihrer Hand der Parther Zepter nicht:
Indem ihr Regiment der Welt viel Guts verspricht.

PORTIUS

Was hör ich? Kann es sein? Die Schwester Portia,
Die man vor tot geschätzt, steht in Arsenen da?

PORTIA

Wer? Ich des Cato Kind? Welch plötzliches Entsetzen!
Dies Glück ist herrlicher als Kron und Thron zu schätzen.
Mein Vater! Süßes Wort! so mir viel schöner klingt,
Als was ein Königreich vor stolze Titel bringt.
Die Regung der Natur bewog mich, Euch zu lieben,
Ein unbekannter Trieb hat mich hieher getrieben.
Ihr wißt, wie deutlich sich mein Herze schon entdeckt,
Obgleich das Schicksal mich in fremden Schmuck versteckt.
Itzt regt sich das Geblüt mit freudigem Ergießen;
Bezwingt Euch denn, mein Herr, mich in den Arm zu
schließen,
Und seht mich doch einmal mit Vateraugen an!
Verbannt den alten Schmerz! Der Zorn sei abgetan!
Bestrafet nicht an mir die Fehler des Geschickes,
Und würdigt Euer Kind doch endlich eines Blickes!

CATO

Ich hab es wohl gespürt, daß dich mein Schmerz bewegt.
Es war ein heimlich Band in unser Blut gelegt:

So heftig regten sich die eingepflanzten Triebe!
Und kurz, ich fühlte selbst die zärtste Vaterliebe. 1180
Allein, ein Königsthron ist viel zu schlecht vor dich;
Und Cäsarn hold zu sein, der größte Schimpf für mich.
Auf! edle Römerin, besiege Lieb und Ehre
Und zeige, daß dein Herz dem Cato angehöre!

PORTIA

Ach, allzuschwerer Sieg! Wie hart fällt beides mir! 1185

PORTIUS

Was säumt denn Portius? Dies Glück gehört auch dir.
Ja, Schwester, laßt auch mich in Eure Arme fallen
Und seht in meiner Brust ein Bruderherze wallen.
Ich war Euch auch geneigt als einer Königin
Und wünschte: Wäre sie doch eine Römerin! 1190
Nun ist es zwar entdeckt, doch anders, als ich dachte:
Indem ich schon auf Euch ganz andre Rechnung machte.

PORTIA

Ach! Bruder, liebet mich hinführo brüderlich!

CATO

Was bist du so bestürzt? Wohlan, entschlüße dich!
Du seufzest? Schäme dich! Willst du dein Blut beflecken? 1195
Und deines Vaters Haus in Schimpf und Schande stecken?
Ihr Götter! Welch ein Schmerz!

PORTIA

Mein Vater, laßt mich doch!

CATO

Ich bin dein Vater nicht, wo Cäsars Liebe noch
In deiner Seelen brennt. Ersticke solche Flammen!

PORTIA

Wie konnt ich Cäsars Huld und Liebe doch verdammen? 1200
Ich wußte ja noch nicht, wer mich zur Welt gebracht:
Das Schicksal hat mir selbst dies Unglück zugedacht!

CATO

Der Tränenstrom verrät die Schwäche deiner Seelen,
O! kannst du nicht einmal die Zärtlichkeit verhehlen:
So nenne dich hinfort nur meine Tochter nicht
Und komme mir durchaus nicht mehr fürs Angesicht!

PORTIA

Ach! Herr, kaum hab ich Euch als Vater kennenlernen,
Und Ihr wollt mich von Euch schon wiederum entfernen?
Ich Unglückselige! Der Götter Grausamkeit
Hat mich bisher verwaist; Ihr geht noch eins so weit.
Sagt, muß ein Römer denn, um Rom getreu zu scheinen,
In seiner Seelen gar die Menschlichkeit verneinen
Und unempfindlich sein?

CATO

Was sagst du? Rede nun!
Sprich, soll denn die Natur der Tugend Eintrag tun?

PORTIA

Und muß die Tugend denn Natur und Trieb ersticken?
Wiewohl, es ist zu hart, Euch niemals zu erblicken!
Verbindet, wenn Ihr könnt, was Rom, was Vaterland,
Was meine Liebe will, durch ein beglücktes Band!
Wo nicht, so will ich doch die schnöde Flamme dämpfen,
Ich will mein eigen Herz und Cäsars Glut bekämpfen:
Ihr Götter! hört es an, ich bin ganz eifersvoll
Zu zeigen, wer ich bin, so hart mirs gehen soll!

CATO

(er umarmet sie)

Nun nenn ich dich mein Kind. Aus solchen Tugendproben
Erkenn ich mein Geblüt. Ich will und muß dich loben!

PORTIUS

Mein Vater, Cäsar kömmt: Ich gehe ...

CATO

Bleibe du;
Du gleichfalls Portia; hört unsern Reden zu.

DER DRITTE AUFTRITT

Cäsar. Cato. Portius. Portia. Phenice.

CÄSAR

Nun, Cato, soll ich itzt die Gnade herrschen lassen?
Wie? Oder soll ich noch das scharfe Rachschwert fassen?
Was wünscht der Römer Rat?

CATO

Dir, was du ihm gedroht,
Das ist, den Untergang; wo nicht, sich selbst den Tod. 1230
Der Krieg, der Krieg allein soll uns den Ausschlag geben:
Doch niemand will von uns die Freiheit überleben.
Indessen glaube nicht, daß dieser Mauren Kreis,
Daß uns nur Utica so kühn zu machen weiß,
Daß wir uns ganz verzagt in Turm und Wall verschanzen 1235
Und du ganz Afrika mit Adlern magst bepflanzen.
Nein, wir erwarten dich und deinen Angriff nicht.
Sobald nur morgen früh das erste Tageslicht
Die Welt bestrahlen wird, so soll durch Glut und Eisen
Sich lauter Mord und Wut in deinem Lager weisen. 1240
Bereite dich dazu!

CÄSAR

Meint Ihr, daß Cäsars Macht
Euch nicht bestürmen kann, eh Ihr vom Schlaf erwacht?
Mein Vorsatz war bisher, der Römer Rest zu schonen;
Allein, da Stolz und Grimm so reichlich bei Euch wohnen,
Als schwach die Kräfte sind: So seid Ihr schuld daran, 1245
Wenn ich die Blitze nicht zurückehalten kann.
Ihr zwingt mich, Utica und alles zu verstören!
(Zu Portien.)
Prinzessin, laßt mich nur kein hartes Wort mehr hören!
Man will den Frieden nicht, man schlägt mir alles ab;
Was nützt der Vorschlag nun, den ich aus Großmut gab? 1250
O Himmel, wenn du doch den Frevel strafen wolltest!

PORTIA

Du trotzest einen Feind, den du verehren solltest,

Und kennst doch weder ihn noch seine Kräfte recht:
Doch wisse, daß sein Arm noch deinen Hochmut schwächt.
Es steht ihm jemand bei, den du verehren müßtest,
Ja den du scheuen sollst, dafern du ihn nur wüßtest!

CÄSAR

Wer ist der Gegner denn, den Cäsar scheuen soll?

PORTIA

Ich selber bins.

CÄSAR

Seid Ihrs?

PORTIA

Vernimms erstaunensvoll,
In diesem Cato ist mein Vater selbst verhanden!

CÄSAR

Ihr scherzet, wie mich dünkt; hab ich Euch recht verstanden?
Ihr wollt bald Königin, bald Catons Tochter sein:
Das ungereimte Ding will mir durchaus nicht ein!
Nein, ich begreif es nicht.

PORTIA

Es muß dir fremde dünken:
Ich selber wußt es nicht und wollt in Ohnmacht sinken,
Sobald ich es erfuhr. So grausam ist mein Glück!
Ja, Cäsar, so ergrimmt ist dein und mein Geschick.
Du liebtest mich, ich dich. Nunmehr erfolgt die Reue,
Indem ich mich beschämt vor meinem Siege scheue.
Da, wo ich Ruhm gesucht, da find ich lauter Schimpf:
O Schicksal! brauchest du denn niemals größern Glimpf,
Und muß ich heute denn sogar an mir erleben,
Daß Lieb und Unschuld stets einander widerstreben?

CÄSAR

(bald zu Portien, bald zum Cato)

Was? Sieht man unsre Lieb als ein Verbrechen an?
Warum verdammt man sie, da sie doch nützen kann?

Der Himmel sucht dadurch die Römer zu verbinden; 1275
Drum solltet Ihr die Glut noch mehr und mehr entzünden.
Warum zertrennt Ihr doch, was selbst der Himmel paart?
Es scheint, der Friedensschluß ist bloß für uns gespart.

CATO

Viel lieber wollt ich sie nicht vor mein Kind mehr achten
Und sie, ja mich zugleich als Opfertiere schlachten. 1280
Nein, Cäsar, glaube nicht, daß mich dein Vorschlag trügt,
Weil mir Pompejens Fall noch stets im Sinne liegt.
Der ward dein Tochtermann, doch dies vermeinte Glücke
War seines Unfalls Grund: Die Eh ward ihm zum Stricke.
Gesetzt also, daß ich den Beifall geben wollt, 1285
Daß Cäsar Portien zur Gattin haben sollt:
So würde doch dein Herz ganz unersättlich bleiben
Und seine Kronensucht aufs Allerhöchste treiben;
Mich aber hätte dann die Schandtat sehr befleckt.

DER VIERTE AUFTRITT

Cato. Cäsar. Portia. Portius. Phenice und Domitius.

DOMITIUS

Ein unverhoffter Fall hat Burg und Volk erschreckt. 1290
Pharnaces brach ins Schloß mit Waffen und Soldaten,
Sein Herz und Antlitz brennt nach lauter Freveltaten:
Ich hab ihn selbst gesehn; er war schon vor der Tür.
Allein, es störten ihn drei Römer oder vier:
Man sah mit gleichem Mut Arsenens Diener streiten, 1295
Wiewohl ihr Widerstand hat wenig zu bedeuten.

PORTIUS

Ich will der erste sein, der den Verräter schlägt
Und, wenn er nicht entläuft, ihn kalt darniederlegt.

CATO

Ich eile selber hin und schone nicht des Lebens.

DOMITIUS

Es hat nicht mehr Gefahr, drum eilet ihr vergebens.
Pharnaz ist schon erlegt und seine Scharen fliehn:
Nur Marcus, Euer Sohn!

CATO

Wie? Warum nennst du ihn?
Hat er mein Haus befleckt? Ist er verzagt gewichen?
Hat er aus Blödigkeit sich furchtsam weggeschlichen?
O Himmel! Welch ein Schimpf!

DOMITIUS

Nein! Herr, sein Heldenmut
Erwies ein römisch Herz und Catons tapfres Blut.
Er kam erhitzt darzu, als schon die andern fochten,
Und hat sich selbst dabei den schönsten Kranz geflochten.
Pharnaces drang auf ihn mit bloßem Säbel ein,
Doch alle seine Wut schien ganz umsonst zu sein:
Weil ihm kein Hieb, kein Stoß nach Herzenswunsch gelungen,
Bis Eures Sohnes Schwert ihm durch die Brust gedrungen.

CATO

Den Göttern sei gedankt! Allein, was säumt er nun,
Mir den befochtnen Sieg auch selber kundzutun?

DOMITIUS

Vernehmt nur den Verlauf: O dörft ich es nicht sagen!
Indem Pharnaces fällt, will er das Letzte wagen
Und stößt, da Marcus schon mit neuen Feinden ficht,
Von hinten nach ihm zu.

PORTIA

Verdammter Bösewicht!
So mußt du doch bei mir zum Brudermörder werden!

CATO

Vollführe den Bericht.

DOMITIUS

Drauf sank er tot zur Erden
Und starb mit ihm zugleich. Doch starb er als ein Held,

Indem Pharnaces sich Verrätern beigesellt.
Mich dünkt, man bringt Euch schon den Leichnam
hergetragen.

CÄSAR

Pharnaces hat sich selbst durch Trug und List geschlagen:
Denn die Verräterei bestraft sich allezeit. 1325
So macht es Cäsar nicht. Nein, Treu und Redlichkeit
Soll in dem Treffen selbst den Überwinder schmücken.
Nun, Cato, es ist Zeit, vor Utica zu rücken.
Ihr schlagt den Frieden aus, drum rüstet Euch zur Schlacht:
Die Götter haben mir die Lorbeern zugedacht! 1330
Ihr, Portia, lebt wohl! Doch werd ich heute siegen,
So soll mein Degen gleich zu Euren Füßen liegen.

PORTIA

Geh, Unmensch! Geh, Tyrann! Du bist ein Wüterich!
(Cäsar und Domitius gehen ab. Portia folgt mit Phenicen, doch an der andern Seite.)

DER FÜNFTE AUFTRITT

Cato. Portius. Phocas. Artabanus. Die Bedienten, so den toten Leichnam getragen bringen.

CATO

Ihr Freunde, legt nur hier den Körper recht für mich,
Damit ich sehen kann, wie er im Blute lieget, 1335
Und aus der Wunden Zahl, wodurch man ihn besieget,
Sein Lob erhellen mag. Willkommen, liebster Sohn!
Nun spricht dein Vater auch durch dich den Feinden Hohn.
Komm her, mein Portius, wie schön ist es zu sterben,
Wenn wir durch Tugenden uns Tod und Grab erwerben? 1340
Wer stürbe nicht gleich ihm vor unser Vaterland!
Begrabe mich dereinst zu seiner rechten Hand,
Daß unsrer Asche Rest beisammen kann verwesen.
Ihr Freunde, welch ein Schmerz ist hier bei euch zu lesen?

Wie kömmt es? Trauret ihr, da meines Hauses Pracht 1
Aufs Allerhöchste steigt? Das hätt ich nicht gedacht!
Es wär ein Schimpf für mich, wenn in den letzten Zügen,
Darin die Freiheit liegt, mein Haus allein gestiegen,
Mein Glück gewachsen wär.

ARTABANUS

O welch ein großer Mann!
Desgleichen wohl die Welt nicht viele zehlen kann. 1

CATO

Es scheint, ihr könnet euch der Tränen nicht erwehren,
Da nur ein Jüngling fällt. Rom, Rom erfodert Zähren!
Der Götter Meisterstück, der Helden Vaterland,
Die Herrscherin der Welt, die mit gerechter Hand
Tyrannen niederschlug und den geplagten Landen 1.
Die Freiheit wiedergab, Rom ist nicht mehr vorhanden!
O Freiheit! O Verlust! O edle Vaterstadt!

ARTABANUS

Welch eine Redlichkeit, die ihn erfüllet hat!
Den Sohn beweint er nicht; um Rom vergießt er Tränen!

CATO

Die ganze Welt muß sich an Cäsars Joch gewehnen, 1
Wo Mond und Sonne scheint, was wir bisher bezähmt,
Das alles hat sich schon zur Sklaverei bequemt
Und will vor Cäsars Ruhm sein eigen Blut nicht schonen.
Die tapfern Fabier, die großen Scipionen,
Ja, selbst Pompejus focht vor Cäsars Ruhm allein. 1
Kurz, alles, alles muß des Räubers Beute sein!
O wundergroßes Rom, wie sehr bist du verfallen!

PHOCAS

Mein Herr, itzt rettet nur Euch selber, samt uns allen.
Es ist schon hohe Zeit!

CATO

An mich gedenkt nur nicht:
Ich bin nicht in Gefahr, ob alles fällt und bricht. 1

Der Himmel läßt mich nicht in Cäsars Hand geraten,
Es sei der Wüterich ein Herr von hundert Staaten;
Doch soll es nicht geschehn, daß er sich rühmen darf,
Daß er auch mich besiegt. Nichts ängstet mich so scharf
Als euer aller Heil, ihr wertgeschätzten Freunde! 1375
Wie schütz ich immermehr euch alle vor dem Feinde?

PHOCAS

Vielleicht verzeiht er uns, wenn wir um Gnade flehn!

CATO

Ganz recht; drum tut es nur und sagt ihm: Was geschehn,
Das komme bloß von mir. Sagt auch, ich ließ ihn bitten,
Auf eure Tugend ja den Grimm nicht auszuschütten. 1380
(Zum Artaban.)
Um Euch, mein Artaban, und um der Parther Reich
Ist mirs von Herzen leid! Was rat, was helf ich Euch?

ARTABANUS

So lange Cato lebt, so will ich mit ihm leiden.

CATO

Kommt her, umarmet mich, bevor wir uns noch scheiden;
Und wird gleich Portia nicht eure Königin, 1385
Dieweil sie römisch ist und ich ihr Vater bin:
So unterwerft den Staat nur billigen Gesetzen,
Und laßt durch keine Macht des Landes Wohl verletzen.
(Zu seinem Sohne.)
Tritt näher, Portius, du hast es selbst erblickt,
Wie Ehrfurcht, List und Trotz mir oft das Ziel verrückt 1390
Und wie ich widerstrebt. Itzt siehst du mich auch weichen,
Da keine Hoffnung ist, den Endzweck zu erreichen.
Geh hin, verbirg dich nur auf das Sabiner Feld,
In deinen Vatersitz, wo mancher große Held,
Wo unser Ahnherr selbst, nachdem er oft gesieget, 1395
Nach alter Römer Art sein eignes Land gepflüget.
Da lebe tugendhaft, verborgen, schlecht und recht;
Sei fromm, den Göttern treu, doch keines Menschen Knecht:
Denn wo das Laster herrscht, da sind die höchsten Würden,
Die man bei ihnen trägt, die ärgsten Sklavenbürden. 1400

PORTIUS

Ihr ratet mir fürwahr ein solches Leben an,
Das ich von selbsten schon unmöglich hassen kann.

CATO

(zu allen)

Ihr Freunde, lebet wohl! Wollt ihr nicht alle trauen,
Könnt ihr nicht schlechterdings auf Cäsars Gnade bauen:
So wißt, daß allbereit die Schiffe fertig stehn.
Ihr könnt, sobald ihr wollt, damit zu Segel gehn.
Mehr kann ich itzt nicht tun, euch insgesamt zu retten;
Eilt, denn der Sieger kommt und droht euch schon die Ketten!
Lebt wohl, zum letztenmal! Wenn wir uns wiedersehn,
So wird es zweifelsfrei an einem Ort geschehn,
Wo uns kein Cäsar wird in unsrer Ruhe stören
Und wo wir nichts von Macht und von Tyrannen hören.

(Er kehrt sich nach dem Toten.)

Daselbst geneust mein Sohn, der für die Freiheit starb,
Der Tugendliebe Lohn, den er sich hier erwarb.
Da trägt er nun den Kranz, der seine Schläfe zieret!
Da stimmen alle die, so hier die Welt regieret,
Den Menschen wohlgetan, der festen Wahrheit bei:
Daß ihr Bemühen nicht umsonst gewesen sei!

(Ende der vierten Handlung.)

Die fünfte Handlung

ERSTER AUFTRITT

Cato allein, in tiefen Gedanken sitzend und ein Buch in Händen habend. Es liegt neben ihm ein bloßer Degen auf dem Tische; und an der Seite steht ein Ruhbette.

CATO

Ja, Plato, du hast recht! Dein Schluß hat großen Schein!
Wahrhaftig! Unser Geist muß doch unsterblich sein. 1420
Woher entstünde sonst das Hoffen und Verlangen,
Ein unaufhörlich Glück und Leben zu empfangen?
Wo kömmt das Schrecken her, das uns so zaghaft macht?
Woher die kalte Furcht vor jener Grabesnacht?
Erbebt die Seele nicht vor ihrem Untergange? 1425
Und was macht ihr so sehr als Gruft und Moder bange?
Ja, ja, es wohnt in uns ein göttlich-hoher Trieb:
Der Himmel macht uns selbst die stete Dauer lieb
Und führt uns aus der Welt in ungleich größre Schranken.
O Ewigkeit! Du Quell entzückender Gedanken! 1430
Durch was Veränderung, Bemühung, Not und Pein
Und Wechsel dringet man zu deinen Toren ein!
Dein Anblick liegt uns zwar ganz offen im Gesichte,
Man sieht zwar weit hinaus, allein, bei schwachem Lichte:
Denn Schatten, Dampf und Nacht verhindern stets den Blick 1435
Und ziehn der Augen Strahl allmählich gar zurück.
Hier will ich stille stehn. Gibt es ein höchstes Wesen –
Jedoch Natur und Welt läßt tausend Proben lesen
Und ruft: Es ist ein Gott! – so folgt auch zweifelsfrei,
Daß Gott der Tugend auch geneigt und gnädig sei. 1440
Wem er nun gnädig ist, der muß auch glücklich werden.
Doch wenn geschiehts? Und wo? Gewiß nicht hier auf Erden;
Die fällt ja Cäsarn zu und ist vor ihn gemacht.
Wo denn? – – Das weiß ich nicht, so sehr ich nachgedacht.
Dies Eisen soll mir bald den langen Zweifel heben: 1445
Nun bin ich doppelt stark; mein Sterben und mein Leben,

Mein Gift und Gegengift liegt beides da vor mir.
Das eine reißet mich im Augenblick von hier,
Das andre lehret mich, ich könne niemals sterben.
Die Seele bleibt getrost und scheuet kein Verderben;
Sie lacht bei diesem Schwert und höhnt den spitzen Stahl.
Die Sonne selbst wird alt, so wie der Sterne Zahl
Allmählich schwächer scheint. Natur und Welt geht unter,
Nur du allein, mein Geist, bleibst ewig jung und munter:
Du lebst, wenn sich der Krieg der Elemente regt
Und aller Körper Bau in Stück und Drümmer schlägt.
Welch eine Mattigkeit will meinen Geist befallen!
Ich fühle schon den Schlaf durch alle Glieder wallen.
Mein schweres Aug und Haupt ist von den Sorgen matt
Und sehnt sich nach der Ruh. Wohlan, ich geb ihr statt.
Ich überlasse mich dem Schlummer, den ich merke;
Daß mein erwachter Geist hernach mit voller Stärke
Die Flucht ergreifen kann und denn an Kräften neu
Dem Himmel, den er ehrt, ein würdig Opfer sei.
Wen sein Gewissen plagt, dem stört die Angst den Schlummer:
Davon weiß Cato nichts. Kein Laster macht mir Kummer!
Drum gilt auch in der Tat mir Schlaf und Tod gleichviel:
Denn beides labet mich und setzt dem Gram ein Ziel.

(Er legt sich auf den Arm, um zu schlafen.)

DER ANDERE AUFTRITT

Cato und Portius.

CATO

Wer kömmt? Wie das, mein Sohn? Du dringst dich so herein!
Hab ich dirs nicht gesagt, ich wollt alleine sein?
Gehorchst du mir also?

PORTIUS

(ergreift den Degen)

Ach! Was soll dieser Degen?
Mein Vater! laßt mir zu, das Mordschwert wegzulegen!

CATO

(will ihn behalten)

Was unterstehst du dich? Verwegner Jüngling, halt!

PORTIUS

Ach! Liebster Vater, tut Euch selber nicht Gewalt!
Laßt Euch der Freunde Heil, Gefahr und Tränen rühren. 1475

CATO

Willst du mich selber denn in Cäsars Lager führen?
Soll ich sein Sklave sein? Verrätst du selber mich?
O Sohn, gehorche mir, weich und entferne dich!

PORTIUS

(läßt den Degen los)

Seht mich so hart nicht an; ich will viel lieber sterben
Als ungehorsam sein und Euren Zorn erwerben. 1480

CATO

So recht, nun bin ich doch von neuem wieder frei!
Nun, Cäsar, komm und zeuch mit deiner Macht herbei
Und sperre Tor und Paß, verschleuß durch deine Flotten
Das Meer und jeden Port: Ich will dich doch verspotten.
Ein Cato öffnet sich den Weg und Ausgang schon! 1485

PORTIUS

Mein Vater und mein Herr! Vergebt doch Eurem Sohn;
Ein Kummer drückt mich sehr: Vielleicht wirds gar geschehen,
Daß ich Euch diesmal hier zum letztenmal gesehen?
Ach, straft doch itzo mich und meine Tränen nicht,
Dieweil ihr heißer Strom aus banger Seelen bricht. 1490
Verlaßt doch, bitt ich Euch, was Ihr Euch vorgenommen!

CATO

(umarmet ihn)

Du bist stets deiner Pflicht gebührend nachgekommen;
Drum weine nicht, mein Sohn: Es wird noch alles gut!
Die Götter geben mir von neuem guten Mut:
Und schützen voller Huld auch künftig meine Kinder. 1495

PORTIUS

Durch diesen Zuspruch wird mein herber Gram gelinder.

CATO

Du kannst, mein Portius, nun ganz auf mir beruhn:
Was sich vor mich nicht schickt, das werd ich auch nicht tun.
Doch geh, mein Sohn, und sieh, ob deines Vaters Freunde
Schon in den Schiffen sind, zur Flucht vor unserm Feinde?
Sieh, ob sich Wind und See bequem zur Reise zeigt?
Denn komm und sage mirs. Indes bin ich geneigt,
Mich einen Augenblick im Schlummer zu erquicken.

PORTIUS

Nun bin ich wieder froh! Ich hoff, es wird uns glücken!
(Cato legt sich auf das Bette, um zu schlafen, und der innere Vorhang fällt zu.)

DER DRITTE AUFTRITT

Portius und Portia.

PORTIUS

Ach, Schwester Portia, ich hoffe noch zur Zeit!
Der Vater lebet noch, der unsrer Sicherheit
Und Rom so nötig ist; er will noch ferner leben!
Er hat den Augenblick sich nur zur Ruh begeben
Und hat noch, wie mich dünkt, zum Friedensschlusse Lust.
Er hat mich angereizt, daß ich mit starker Brust
Die Großmut üben soll, und mir Befehl erteilet,
Zu sehn, ob allbereit die Freunde fortgeeilet:
Weil längst vor sie ein Schiff im Hafen fertig lag.
Macht hier nun kein Geräusch, damit er schlafen mag!
(Er geht ab.)

PORTIA

O ihr Unsterblichen! die ihr das Recht beschützet,
Bewacht sein Lager doch und gebt ihm, was ihm nützet.
Verbannt der Sorgen Heer und gebet keinem Traum,

Der ihm die Ruhe stört, in seiner Seelen Raum.
Erinnert euch, was er vor Gutes ausgeübet,
Und zeigt uns Sterblichen, daß ihr die Tugend liebet! 1520

DER VIERTE AUFTRITT

Portia und Phenice.

PHENICE

Wo ist denn Cato itzt? Eur Vater, Portia.

PORTIA

Phenice, nicht so laut! Wir sind ihm gar zu nah.
Er schläft ein wenig; still! wir möchten ihn sonst stören.
Indessen will sich schon die Hoffnung wieder mehren,
Daß uns des Himmels Huld bald Glück und Ruhe schenkt. 1525

PHENICE

Mein schwaches Herze klopft, wenn es an ihn gedenkt,
Ich beb und zittre gar, sobald ich ihn erblicke.
Er ist so streng und hart und weicht dem Ungelücke
So wenig als ein Gott! Kein Mitleid nimmt ihn ein,
Denn weil er selbst nicht fehlt, so will er nie verzeihn. 1530

PORTIA

Ganz recht, den Feinden Roms ist Cato streng und wilde;
Doch seinen Freunden bleibt sein Herze weich und milde.
Da ist er voller Güt und sanfter Zärtlichkeit;
Kurz, der gelindste Mann! Noch hab ich allezeit,
Seitdem das Schicksal mich an diesen Ort geführet, 1535
Das zärtste Vaterherz in seiner Brust gespüret.

PHENICE

O ging er itzo nur den Vorschlag Cäsars ein!
So könnt auch ich nebst Euch vollkommen glücklich sein.
Der Parther Thron und Reich ist schon vor Euch verloren;
Wer weiß, was Cäsar uns vor Unglück zugeschworen! 1540

Zumal, wenn er zwar siegt, doch Euch, als Catons Kind,
Das ihn nicht lieben kann, nicht auch zugleich gewinnt.

PORTIA

Der Himmel selber mag vor unser Glücke wachen,
Darauf verlaß ich mich!
(Sie weinet.)

PHENICE

Doch was wird Cato machen?
Wer weiß, was er beschließt! Wer weiß, was Portius
Auf väterlichen Wink noch unternehmen muß!
Wer weiß, obs auch gelingt!

PORTIA

Ach, blieb er nur am Leben!
Das andre wollt ich gern den Göttern übergeben.
(Sie weint.)

DER FÜNFTE AUFTRITT

Phocas. Portia. Phenice.

PHOCAS

Wie sanft, wie süße schläft ein tugendhafter Mann,
Den sein Gewissen nicht im Schlummer stören kann!
Ich kam und habe selbst den Cato liegen sehen,
Es ist ihm zweifelsfrei ein harter Fall geschehen,
Da er den Sohn verlor; doch bleibt er tugendhaft!
Vermutlich stärket ihn der Götter eigne Kraft,
Daß er nicht zaghaft wird und gleiche Größe zeiget:
Obgleich die ganze Welt sich schon vor Cäsarn beuget.
Ich sah ihn, Portia, gemächlich hingestreckt,
Und da die Phantasei ihm einen Traum erweckt,
Rief er mit Lächeln aus: Es soll dir nicht gelingen!
Nein, Cäsar, nein, du sollst, du kannst mich nicht bezwingen!

PORTIA

Es liegt ihm ganz gewiß sein Kummer noch im Sinn!

PHENICE

Wo will denn, Portia, das stete Grämen hin!
Was weint Ihr allezeit? Wir dürfen gar nicht sorgen,
Wenn Cato nur noch lebt, so sind wir schon geborgen.

DER SECHSTE AUFTRITT

Artabanus. Phocas. Portia. Phenice.

ARTABANUS

Die Reuter sind zurück und haben ausgespürt, 1565
Wie stark das Kriegsheer ist, so Cäsar bei sich führt,
Und wie entfernt sie sind. Man sieht sie deutlich liegen,
Wenn man auf einen Turm, nach Osten zu, gestiegen.
Die Sonne, die bereits allmählich untergeht,
Macht, daß ein Widerschein von Schild und Helm entsteht, 1570
Der fast das ganze Feld mit Gold und Glanz bedecket.
Indessen hat der Feind ein Lager abgestecket;
Und Cäsar wartet noch, weil er den Frieden liebt,
Was Cato ihm zuletzt vor einen Ausschlag gibt.

PHOCAS

Wir werden also wohl den Vater wecken müssen! 1575
Was dünkt Euch, Portia? Hier muß er sich entschlüßen.

DER SIEBENDE AUFTRITT

Portius. Artaban. Phocas. Portia. Phenice.

PHOCAS

Dein Anblick, Portius, erschreckt mich ungemein,
Die Zeitung, die du bringst, muß groß und wichtig sein:
Dein Auge will mir schon was Unverhofftes sagen?

PORTIUS

Ich eilte zu dem Port, wo unsre Freunde lagen, 1580

Die, voller Ungeduld auf den erwünschten Wind,
Bis diese Stunde noch nicht abgesegelt sind.
Da lief ein Segel ein von des Pompejus Sohne,
Das brachte Zeitung mit, daß er kein Sorgen schone,
Die Völker Spaniens um Beistand anzuflehn,
Daß er des Vaters Tod gerochen könne sehn.
Stünd hier ein Cato nur an dieses Heeres Spitze,
Da wär es uns und Rom vielleicht was mehrers nütze!
(Man höret einen Tumult drinnen.)
Doch halt! Welch ein Tumult! Ach, laßt mich eilend gehn,
Dem Vater selbst vielleicht in etwas beizustehn.
(Portius läuft hinein.)

PHOCAS

Er denkt gewiß an Rom auch mitten in dem Schlummer,
Und bei dem Ungestüm von dem empfundnen Kummer
Erzürnt er sich vielleicht, daß Rom sich selbst verstört.
(Der Tisch fällt drinnen um.)
Allein, das Poltern wird zum andernmal gehört!
Ihr Götter! steht uns bei!

PORTIA

Ach, hier ist nicht zu säumen!
So ächzt, so stehnt kein Mensch im Schlafen oder Träumen!
Er liegt in Todesangst! Den Ton erweckt der Tod!

PORTIUS

(kommt eilend wieder)
Ach, Schwester Portia! O Anblick voller Not!
Was wir bisher besorgt, das ist nunmehr geschehen!
Er hat sich selbst entleibt!
(Sie fällt in Ohnmacht, und Phenice hält sie.)

PHOCAS

Kommt, laßt uns selber sehen,
Denn Worte taugen nichts, wo man nichts weiter tut.

PORTIUS

(mit bebender Stimme)
Umsonst! Ihr kommt zu spät: Er lag schon voller Blut,

Als ich ins Zimmer kam. Ich hub ihn von der Erden
Und satzt ihn in den Stuhl. Er schien schon blaß zu werden,
Als er ganz matt und kalt die Augen nach mir schlug 1605
Und seine Freunde noch zu sehn Verlangen trug:
Die Diener bringen ihn zu euch hieher getragen!
Und weinen insgesamt, den Unfall zu beklagen.

PORTIA

O Himmel! steh mir doch in dieser Stunde bei,
Daß ich ihm wenigstens im Tode dienstbar sei. 1610

DER ACHTE UND LETZTE AUFTRITT

Cato. Portius. Artaban. Phocas. Portia. Phenice.

ARTABAN

Das ist nun dein Triumph! So, Cäsar, kannst du siegen!

PHOCAS

Nun ist es aus mit Rom, so hoch es auch gestiegen.

PORTIUS

Mein Vater! sterbt doch nicht.

CATO

(den man getragen bringt)

So weit, hier setzt mich her.
Getrost, mein Sohn, getrost! Das Reden fällt mir schwer.
Tritt näher, Portius. Wie stehts mit unsern Freunden? 1615
Sind sie schon eingeschifft? Entkommen sie den Feinden?
Sprich, ob ich ihnen sonst noch irgend dienen kann?
Du aber rufe nie den Feind um Gnade an.
Versäume niemals was, die Freiheit Roms zu retten;
Itzt folgt sie mir ins Grab! Ich sterbe sonder Ketten 1620
Und bin recht sehr erfreut, daß, da ich frei gelebt,
Ich noch ein Römer bin, indem man mich begräbt.
Dem Beispiel folge nach! Du stammst aus meinem Samen,
Befleiße dich denn auch, dem Cato nachzuahmen!

(Er umarmt ihn.)

Gehab dich wohl, mein Sohn! Du aber, Portia,
Die ich vorlängst verlor, itzt wenig Stunden sah
Und wiederum verlier, gedenke meiner Liebe
Und folg in allem Tun dem tugendhaften Triebe,
Der dich bereits erfüllt. Beweine nicht mein Grab;
Rom, Rom, dein Vaterland dringt dir die Tränen ab!
Verdamme Cäsars Glut, die dich zur Sklavin machet,
Und weil was Römisches in deiner Brust erwachet,
So wehle künftig mir den Held zum Tochtermann,
Der den Tyrannen straft und Rom befreien kann.
Umarme mich, mein Kind! Ihr Freunde, seht mich sterben!
Ihr seufzet? Tut es nicht! Beweinet Roms Verderben!
Lebt wohl und Rom getreu. Ihr Götter! hab ich hier
Vielleicht zu viel getan: Ach! So vergebt es mir!
Ihr kennt ja unser Herz und prüfet die Gedanken!
Der Beste kann ja leicht vom Tugendpfade wanken.
Doch ihr seid voller Huld. Erbarmt euch! – – Ha!

ARTABANUS

Er stirbt!

PHOCAS

O Schmerz! O harter Fall! Der größte Mann verdirbt,
Den jemals Rom gesehn! Das Ebenbild der Götter,
Und hätten sie gewollt, des Vaterlandes Retter.

PORTIUS

Kommt, tragt den toten Leib vor Cäsars Angesicht,
Wer weiß, ob ihm nicht noch sein hartes Herze bricht,
Wenn er den Helden sieht in seinem Blute liegen.

ARTABANUS

O Rom! Das ist die Frucht von deinen Bürgerkriegen!

LESARTEN

4. Auflage, 1742 (= 1. Aufl. ‚Deutsche Schaubühne'):

Vers: 17 *entfärbst.* 54 *gekränktes.* 116 Zwie*spalt.* 119 zu *dir, o Held.* 122 Raserei *dies Band erzwingen.* 145 *vermisset.* 155 *wenn sich dein Geist* besinnt. 160 *durchaus* umringt. 164 *brachte dir bestürzt.* 167 *Indem ich Portien.* 170 *Allerdings!* Du siehst mich. 171 als dich *mein Wort.* 204 *viel* Guts (vgl. 1660). 218 erlaubt es *nicht, und.* 231 *Nur bloß* die Königin. 258 *Verwirf das Mittel nie.* 279 *Dies ist und bleibt mein Schluß.* Geh. 314 Ich weiß es, *zweifle nicht.* 383 Was *schont* man. 385 *kaum* verlangen. 405 Wohlan, *ich will hinfort.* 406 *tut.* 425 f. Sein Anblick *wirkt* in mir / *Viel Ehrfurcht für dies Haupt. Mich dünkt, ganz Rom ist hier.* 430 (Domitius:) *Warum nicht.* 434 bessre *Wirkung.* 438 ein *Bürger Roms* zu. 461 *Zwar* steht ihm Cato bei; *jedoch.* 497 *Verstellter Worte Fluß.* 525 *verschweren sich zugleich.* 539 Will mich *aus Utica durch Hinterlist.* 574 mein *Ungemach.* 585 *schaden* kann. 628 vom *Haupte.* 634 *Es regt das warme Blut sich auch in Brüdern schon.* 668 *Arsenen sollst du selbst.* 683 *Ja, Cato sterbe nur.* 703 *Die Wollust soll.* 707—710 (von Domitius gesprochen), 707 *Ja, Herr, sie weiß es schon.* 718 *Wenn mich die Welt mehr scheut als Liebe zu mir hat.* 725 *Ich selber.* 739 *Mich dünkt, ich habe dich bei Hofe schon.* 745 f. *Arsenen stund gewiß kein mindrer Sieger an.* / . . .wenn *ichs gestehen kann.* 754 *neideten mein täglich wachsend Glück.* 770 *deinen Augen* steh. 777 du hassest *Cäsarn.* 798 *Zur Feindschaft gegen das,* was mir am liebsten. 806 *Vielleicht,* daß. 917 *Ich mache wirklich Rom.* 932 *Verderben.* 938 sich *nur* in. 967 *Vielleicht gedenkest du.* 997 her, *allein, du zeigst es schlecht.* 1002 *Doch wisse, daß ihr Tun nur Huld und Sanftmut ist.* 1026 *Drum schone Ruhm und Blut.* 1032 *so schändlich* zu verraten. 1036 *die Herrschaft.* 1044 *dir nicht zum Fall gedeihen.* 1061 *Daß ich nicht angemerkt.* 1075 f. wider*stunden,* / . . . so *voller Schmach befunden.* 1077 f. und *hob sich mehr empor.* / . . . *hervor.* 1098 f. dünkt, *es wüßte noch zur Zeit* / *Dies niemand außer dir.* 1105 f. *Wiewohl du irrest dich!* . . / *So ist es doch umsonst.* 1131 Prinzessin, *deine Gunst.* 1144 *verstellt allhier zu kennen.* 1148 *vielen Schmerz.* 1151 *des liebsten Vaters* Zeilen. 1183 *Besieg als Römerin und Tochter.* 1413 Daselbst *empfängt.* 1414 Der Tugendliebe *Preis.* 1416 *Da stimmt der Helden Zahl, die sonst.* 1424 *unsers Grabes Nacht.* 1448 *führet.* 1451 *Mein Geist verlacht dies.* 1457 *meine Brust.* 1490 aus *treuer.* 1543 *weiß . . . zu wachen.* 1547 *Vielleicht gelingt es ihm.* 1574 *Was Catons Antwort ihm für.* 1589 *Geräusch.* 1627 *Denk meiner Vaterliebe.*

6. Auflage, 1746 (= 2. Aufl. ‚Deutsche Schaubühne'):

167 *Da wars, wo ich mein Kind, die Porcia verlor.* 210 *Der Parther* Königin. 670 *Das Schloß von Utica, ja selbst die Stadt in Brand.* 754 Die *Großen.* 822 *getrennet* hält. 1023 Glück *verkehrt sich* stets. 1047 f. *Wohlan! Gedenk an mich; ich werde dich nicht scheuen! / . . . Der Stolz soll dich gereuen.* 1101 *Hat sie dich auch bestrickt.* 1144 *beschimpfet hier.*

10. Auflage, 1757:

99 *Verdammtes* Bubenstück. 169 Wie? *Freund.* 204 viel *Heil* (vgl. 1660). 211 *kämpft . . . für.* 265 (neu eingefügt:) *Den blinden Pöbel mag der Vögel Flug belehren! / Ein Weiser muß das Wort der wahren Weisheit hören: / Die da am lautsten spricht, wo Freiheit und das Recht / Die Unterdrücker straft und die Tyrannen schwächt. / In meiner Brust hat sie von Kindheit an gesprochen; / Hier ist ihr Heiligtum, das keine Macht zerbrochen. / Hier sitzt die Tugend selbst, anstatt der Pythia, / Und spricht prophetischer als Delphis jene sah. / Die* lenkt. 380 ff. *Um Cäsarn kundzutun, ich käm ihm beizustehn. / Noch mehr, mich seiner Huld noch würdiger zu machen. / Ich liefre Catons Kopf mit meiner eignen Hand: / Der sei von meiner Treu ein sichres Unterpfand! / Doch so.* 410 *Er selbst verhieß es mir, weil du nach ihm gefragt.* 439 f. *Den Consul muß man ehren! / Was? Consul? Sprich, Tyrann, der Staat und Recht will stören.* 442 *Durch freier Bürger Wahl das Consulat vertraut.* 512 die *Unterwelt* beschieden. 515 *Umsonst,* Domitius. 601 aller *Neigung.* 629 *trauren.* 675 *Das Heer* wird *durch das.* 695 *schwerlich* glücken. 739 *in Asien* gesehen. 772 lauter *Zorn.* 808 Erklären *sich . . . / Und dich zur.* 816 *Sein unerweichter* Sinn. 933 *Dein Stolz.* 1082 f. *Und wage . . . / Mein Degen ist gewetzt,* um. 1131 *Wie? Cäsar,* deine Gunst. 1134 Cäsars *Neigung.* 1144 *beflecket.* 1194 bestürzt? *Entschleuß und fasse dich.* 1261 *Kann eine Königin auch Catons Tochter sein.* 1361 was *Rom.* 1453 *blässer.* 1532 sein *Wesen.* 1597 den *Laut.* 1618 *ruf den Feind nie um Vergebung an.* 1646 sein *Herz vor Wehmut.*

LITERATUR

Bernays, Michael: Johann Christoph Gottsched. In: Allg. Dtsche. Biographie. Bd. 9. Leipzig 1879. S. 497—508.

Bing, Susi: Die Naturnachahmungstheorie bei Gottsched und den Schweizern und ihre Beziehung zu der Dichtungstheorie der Zeit. Köln, Phil. Diss. 1934.

Brüggemann, Fritz (Hrsg.): Gottscheds Lebens- und Kunstreform in den zwanziger und dreißiger Jahren. Leipzig 1935. (Dtsche. Lit. ... in Entwicklungsreihen. Reihe Aufklärung. Bd. 3.)

Conrady, Karl Otto: Gottsched — Sterbender Cato. In: Das deutsche Drama. Interpretationen. Hrsg. v. Benno v. Wiese. 2. Aufl. Düsseldorf 1960. Bd. 1. S. 61—78.

Crüger, Johannes (Hrsg.): Joh. Christ. Gottsched und die Schweizer J. J. Bodmer und J. J. Breitinger. Berlin und Stuttgart [1883]. (Dtsche. Nat.-Litt. Bd. 42.)

Danzel, Theodor W. (Hrsg.): Gottsched und seine Zeit. Auszüge aus seinem Briefwechsel. Leipzig 1848.

Geißler, Rolf: Das Ethos des Helden im Drama der Gottschedzeit. Köln, Phil. Diss. 1955. [Masch.]

Koch, Max: Gottsched und die Reform der deutschen Literatur im achtzehnten Jahrhundert. Hamburg 1887.

Krießbach, Erich: Die Trauerspiele in Gottscheds ‚Deutscher Schaubühne' und ihr Verhältnis zur Dramaturgie und zum Theater ihrer Zeit. Halle, Phil. Diss. 1927.

Pelz, Alfred: Die vier Auflagen von Gottscheds ‚Critischer Dichtkunst' in vergleichender Betrachtung. Breslau, Phil. Diss. 1929.

Reichel, Eugen: Gottsched. 2 Bde. Berlin 1908—12.

Schimansky, Gerhard: Gottscheds deutsche Bildungsziele. Königsberg und Berlin 1939.

Servaes, Franz: Die Poetik Gottscheds und der Schweizer. Straßburg 1887. (Quellen und Forsch. zur Sprach- und Culturgesch. der german. Völker. 60.)

Waniek, Gustav: Gottsched und die deutsche Litteratur seiner Zeit. Leipzig 1897.

Witkowski, Georg: Geschichte des literarischen Lebens in Leipzig. Leipzig und Berlin 1909.

ZEITTAFEL

1700	2. Februar: Johann Christoph Gottsched in Juditten bei Königsberg als Sohn des Dorfpfarrers Christoph Gottsched geboren.
1714	Besuch der Universität Königsberg. Theologie-, später Philosophiestudium.
1723	Magisterprüfung (Philosophie).
1724	Flucht vor preußischen Werbern nach Leipzig.
1725/26	‚*Die vernünftigen Tadlerinnen*'. 2 Bände. (Zeitschrift.)
1726	Gottsched wird Senior der ‚*Deutschübenden-poetischen Gesellschaft*' in Leipzig. Fontenelles ‚*Gespräche von mehr als einer Welt*'. (Übersetzung.)
1727	Beginn der Zusammenarbeit mit der Neuberschen Theatertruppe. Umwandlung der ‚*Deutschübenden-poetischen Gesellschaft*' in die ‚*Deutsche Gesellschaft*'.
1727/28	‚*Der Biedermann*'. 2 Bände. (Zeitschrift.)
1730	Gottsched wird außerordentlicher Professor für Poesie. ‚*Versuch einer Critischen Dichtkunst vor die Deutschen*'. 4. Aufl. 1751.
1731	Herbst: Erstaufführung des ‚*Sterbenden Cato*'.
1732	Erscheinen des ‚*Sterbenden Cato*'. 10. Aufl. 1757. Racines ‚*Iphigenia*'. (Übersetzung.) Aufgeführt schon 1730; gedruckt auch in der ‚*Deutschen Schaubühne*', 2. Band.
1732—44	‚*Beyträge zur Critischen Historie der Deutschen Sprache, Poesie und Beredsamkeit*'. 8 Bände. (Zeitschrift.)
1734	Gottsched wird ordentlicher Professor für Logik und Metaphysik. ‚*Erste Gründe der gesamten Weltweisheit, darinnen alle philosophische Wissenschaften in ihrer natürlichen Verknüpfung in zween Teilen abgehandelt werden*'. 8. Aufl. 1778.
1735	19. April: Hochzeit mit Luise Adelgunde Victorie Kulmus, in Danzig.

1736	*‚Ausführliche Redekunst, nach Anleitung der alten Griechen und Römer, wie auch der neueren Ausländer‘.* 5. Aufl. 1759. *‚Gedichte‘.* 2. Aufl. 1751.
1738	Gottsched tritt aus der *‚Deutschen Gesellschaft‘* aus.
1740—45	*‚Die Deutsche Schaubühne, nach den Regeln der alten Griechen und Römer eingerichtet‘.* 6 Teile. 2. Aufl. 1746—50. Neben dem *‚Sterbenden Cato‘* und der *‚Iphigenia‘*-Übersetzung erschienen folgende Werke von Gottsched in dieser Sammlung zum ersten Mal: *‚Atlanta‘* (Schäferspiel), 3. Band; *‚Agis, König zu Sparta‘* (Tragödie), 6. Band; *‚Die parisische Bluthochzeit‘* (Tragödie), 6. Bd., und die Übersetzung von Saint-Evremonds Komödie *‚Die Opern‘*, 2. Band.
1741—44	*‚Baylens Wörterbuch‘.* (Übersetzung, unter Mitarbeit von Frau Gottsched und anderen.) 4 Bände.
1744	Leibniz, *‚Theodicee‘.* (Übersetzung.)
1745—54	*‚Neuer Büchersaal der schönen Wissenschaften und freien Künste‘.* 10 Bände. (Zeitschrift.)
1748	*‚Grundlegung einer Deutschen Sprachkunst. Nach den Mustern der besten Schriftsteller des vorigen und jetzigen Jahrhunderts abgefasset‘.* 6. Aufl. 1776.
1749	Reise des Ehepaars Gottsched nach Österreich. Empfang bei Maria Theresia.
1750	*‚Neueste Gedichte‘.*
1751—62	*‚Das Neueste aus der Anmutigen Gelehrsamkeit‘.* 12 Bände. (Zeitschrift.)
1752	*‚Reineke der Fuchs‘.* (Übersetzung ins Hochdeutsche.)
1754	*‚Auszug aus Batteux’ „Schönen Künsten aus dem einzigen Grundsatze der Nachahmung hergeleitet“‘.* (Übersetzung.)
1757—65	*‚Nötiger Vorrat zur Geschichte der deutschen dramatischen Dichtkunst‘.* 2 Bände.
1762	26. Juni: Luise Adelgunde Victorie Gottsched gestorben.
1765	1. August: Hochzeit mit Ernestine Susanna Katharina von Neunes.
1766	12. Dezember: Johann Christoph Gottsched gestorben.

Auszüge aus der zeitgenössischen Diskussion über Gottscheds Drama

[GOTTLIEB STOLLE]

Eines ungenannten Gönners kritische Gedanken über den ‚Sterbenden Cato'

Ich werde sowohl als alle, die den Vorteil, den wir Deutschen durch das Wachstum unserer Poesie erhalten, lebhaft erkennen, von einem herzlichen Vergnügen gerühret, daß der in diesem Stücke billig berühmte Herr Prof. Gottsched der tragischen Poesie durch den deutschen ‚*Cato*' die Bahn brechen wollen. Wäre ich willens, ihm die verdiente Lobrede aufzusetzen, so sollte es mir an nichts weniger als sattsamen Gründen dazu fehlen. So sehr ich aber von diesen jetzt verschwiegenen Vollkommenheiten eingenommen werde, so hindert doch auch solches mich nicht, daß ich nicht gestehen sollte, daß ich hier und dar etwas wahrgenommen, welches ich als kleine Unvollkommenheiten ansehe. Es bestehen dieselbe kürzlich hierinne.

1) Deucht mich, der Herr Verfasser habe es sich allzusehr merken lassen, daß er die Regel des Theaters beobachten wollen, nach welcher man sich hüten soll, daß sich die Handlung niemals in einer leeren Szene verlieren möge. Um dieses zu vermeiden, heißt es fast immer: „Doch (z. E.) Cato kömmt bereits; dieser oder jener erscheinet"; wie dann in der ersten Handlung der 2., 3., 5., in der andern Handlung der 3., 4., in der dritten der 2., 3., 4., in der vierten der 2., 3., 5. [Auftritt] durch solche Formeln mit dem vorhergehenden verknüpfet ist. Die fünfte Handlung gefällt mir in diesem Stücke ungemein. Der nötige Zusammenhang ist deutlich genug in der Sache selbst zu sehen, und daß dieser oder jener kommt, ist gleichwohl niemals zu sehen.

2) So ist es auch nach den Regeln notwendig, daß man den

Charakter der Personen, sonderlich des Hauptthelden, bald zu erkennen gebe. Dieses tut Arsene, welche der Phenice den Cato nach seiner völligen Gemütsbeschaffenheit abmalet. Weil aber dieses geschiehet, da ihnen der Cato schon zu Gesichte kommt und die Rede von ihm doch ziemlich lang währet, so wird es unwahrscheinlich, daß Cato, der in den Saal kommt, nichts davon gehöret und sie sollte Zeit gehabt haben, ihn also abzumalen.

3) So kommt es sowohl mir als noch dreien Freunden, denen ich diese Tragödie vorgelesen, für, als wann Cäsar, wo nicht größer, doch ebenso groß als Cato charakterisieret sei. Cäsar scheint billiger als Cato. Man tadelt gleichsam bei sich selbst den Cato, daß er so eigensinnig alles verwirft und dem so schön vorgestellten Cäsar mit solcher Grobheit begegnet. Als zum Exempel: Im dritten Auftritt der vierten Handlung fraget Cäsar, was der Rat der Römer in Utica wünschete. Und der Ausdruck ist sehr freundlich abgefasset. Cato aber antwortet:

Dir, was du ihm gedroht,
Das ist, den Untergang, wo nicht, sich selbst den Tod.

Diese Antwort habe ich, sooft ich die Tragödie überlesen, nicht billigen können und habe gefunden, daß, sooft ich sie Fremden vorgelesen, sie allemal gemeint haben: Es wäre kein Wunder, daß Cäsar die Geduld verloren hätte.

Was das anbelangt, daß Cäsar und Cato gleich groß dargestellt werden, so kann in eben besagter Szene folgendes eine Probe sein.

Cato, spricht er, wolle „*morgen früh*" mit der Besatzung einen Ausfall gegen die Belagerer tun und in ihrem Lager Mord und Verheerung ausbreiten.

Cäsars Antwort zeiget hierauf alle Größe Catonis, und im Verfolg derselben ist eine solche Rechtfertigung seines Tuns, daß man fast dem Cäsar mehr Glück gönnet als den Belagerten. Es heißt:

Meint Ihr, daß Cäsars Macht
Euch nicht bestürmen kann, eh Ihr vom Schlaf erwacht?
Mein Vorsatz war bisher, der Römer Rest zu schonen;
Allein, da Stolz und Grimm so reichlich bei Euch wohnen

Als schwach die Kräfte sind: So seid Ihr schuld daran,
Wann ich die Blitze nicht zurückehalten kann.

Es scheint mir, als wenn man vom Cäsar und Cato sagen könne, was von dem Alexander und Porus des Racine in Frankreich geurteilet ward:

César est trop grand pour Caton, ou Caton ne l'est assez pour César, et ni l'un ni l'autre ne connaissent pas la véritable grandeur[1].

Dann Cäsar ist herrschsüchtig und Cato gar zu eigensinnig. Zu geschweigen, daß sein Selbstmord nur wenige zum Mitleiden beweget, die meisten aber ihn deswegen tadeln müssen.

4) Pharnaces und Portius sind in ihren Ausdrücken zuweilen etwas niedrig: Wie mir dann die beiden ersten Verse in der ersten Handlung sehr matt vorkommen, indem sie erstlich beide einerlei sagen und hernach der letzte gar zu gemein klingt. Portius aber, der doch sonsten so schön dargestellet wird, spricht in der allerletzten Szene etwas, welches er, meinem Bedünken nach, auch nicht hätte sagen sollen. Er will die Leiche seines Vaters für Cäsars Angesicht getragen haben, um ihn zur Erbarmung zu bewegen. Und indem er dieses sagt, so folgt daraus, daß er die Vermahnungen seines sterbenden Vaters, Szene 8 der 5. Handlung:

Du aber rufe nie den Feind um Gnade an,

schon müsse vergessen haben. Meines Erachtens wäre es dem Sohne Catons anständiger gewesen, wenn er nach desselben Erinnerung:

Versäume niemals was, die Freiheit Roms zu retten,

den Rest seiner Freunde zur Herzhaftigkeit aufgemuntert, sich der eingelaufenen Nachricht vom Pompejo zunutze zu

1. „Cäsar ist im Vergleich zu Cato zu groß, oder Cato ist im Vergleich zu Cäsar nicht groß genug, und weder der eine noch der andere kennt die wahre Größe."

Den Vorwurf, Porus in Racines ‚*Alexandre le Grand*' sei größer als Alexander, hatte unter anderem Saint-Evremond erhoben.

machen und, im Fall ihm alles fehlschlagen sollte, dem Vater auch im Sterben nachzuahmen versprochen hätte.

5) Es tadelt der Herr Verfasser des deutschen ‚*Catons*' den Verfasser des englischen, daß in demselben die Personen abgingen und kämen, ohne daß man wüßte warum. Es kommt mir aber vor, als wenn ihm dieser Umstand auch einmal wie seinem Vorgänger entwischt sei, nemlich Akt II, Szene 5 redet der Portius die Arsene in sehr heftiger Bewegung an:

Prinzessin, sorgt nur nicht vor Eure Sicherheit.
Wenn alles Euch verläßt, ist Portius bereit
Und folgt des Vaters Spur, die Unschuld zu beschützen.
Befehlt, so soll mein Stahl vor Eure Wohlfahrt blitzen.

Arsene aber kehrt gleichsam statt der Antwort diesem mutigen Verfechter ihrer Sicherheit den Rücken und nimmt ihren Abtritt. Von diesem stillen Abschiede weiß ich keinen Grund zu finden, so sehr ich auch nachgedacht habe.

6) Es deucht mich endlich, als wenn Cato selbst einmal von seinem Charakter abwiche. Es geschieht dieses Szene 3, Akt I, wo er die Nachricht bekommt, daß seine Tochter noch lebe, und bei Anhörung dieser Nachricht in vier affektuöse Fragen ausbricht:

Wie? Was? Mein Kind am Leben?
Was sagst du?

Es scheint mir, als wann dieser abgebrochene Ausdruck viel zuviel Bewegung anzeige als sich vor den Cato schicke, der bei dem Anblick seines toten Sohnes mehr freudig als traurig ist.

Dieses ist das wenige, welches [ich] in der Durchlesung des sonst trefflichen ‚*Catons*' angemerket habe, welches aber in Ansehung der übrigen Trefflichkeiten gar nichts vorstellt und auch leicht übersehen wird.

P. S. Was die Einrichtung der Verse betrifft, so heißt es sehr oft *Ihr* anstatt *du*. Nun aber erinnere ich mich, in einer Schrift des Herrn Professor Gottscheds gelesen zu haben, daß er selbst verteidiget, man solle sich, wann man auch ungebundene Gespräche schriebe, lieber des lateinischen *du* bedienen, als daß man nach Art der heutigen Deutschen und Franzosen im Plurali rede, als wenn man ein halb Dutzend Personen anrede. Ich glaube also, daß er in dem poetischen Gespräche des ‚*Cato*' sich mit vollem Recht des *du* beständig bedienen können. Zumal da es Römer sind, die miteinander sprechen.

JOHANN CHRISTOPH GOTTSCHED

Bescheidene Antwort auf die vorhergehenden kritischen Gedanken über den ‚Sterbenden Cato'

Es ist ein besondres Glück vor dieses Trauerspiel, daß es in die Hände so gelehrter Kenner von Gedichten geraten ist, und noch ein größeres, daß es einigermaßen Beifall bei ihnen gefunden hat. Ich bin daher demjenigen gelehrten Manne, der sich die Mühe gegeben, seine und seiner Freunde Gedanken davon aufzusetzen und mir zukommen zu lassen, überaus verbunden: Wie ich denn auch Sr. Hochedlen, Herrn Prof. Stollen, viele Erkenntlichkeit schuldig bin, der mir solche gütigst zuzusenden die Gewogenheit gehabt. Ich habe niemals gedacht, daß irgendein großes episches oder theatralisches Gedichte ohne alle Fehler zustande gebracht werden könne. Die menschliche Unvollkommenheit läßt solches kaum in kleinen Gedichten, von einem Bogen, zu, geschweige denn in solchen weitläuftigen Werken. Selbst Homerus, der doch nach aller Kritikverständigen Urteil an seiner ‚*Ilias*' und ‚*Odyssee*' rechte Meisterstücke gemacht und selbst vom Horaz fast durchgehends bewundert wird, muß es leiden, daß eben dieser gesteht, daß er zuweilen matt werde oder einschlafe. Allein, er setzt auch zu dessen Entschuldigung gleich den Vers hinzu:

Verum operi longo fas est obrepere somnum[1].

1. „*Obwohl es leicht geschieht, / Das ein so langes Werk den Schlummer nach sich zieht.*"

Ja, kurz vorher hat er überhaupt angemerket, daß es gewisse Fehler gibt, die man gern übersieht, wenn nur das meiste in einem Gedichte wohl geraten ist.

Sunt delicta tamen, quibus ignovisse velimus:
Nam neque chorda sonum reddit quem volt manus et mens,
Poscentique gravem persaepe remittit acutum,
Nec semper feriet quodcumque minabitur arcus.
Verum ubi plura nitent in carmine, non ego paucis
Offendar maculis, quas aut incuria fudit
Aut humana parum cavit natura[2].

Dieses scheint mein gelehrter Aristarchus[3] selbst vor Augen gehabt zu haben, da er meinen ‚*Cato*' seiner Beurteilung gewürdiget: Ja, ich glaube, daß er, aus gar zu großer Güte gegen diesen tragischen Versuch, noch manchen weit wichtigern Fehler übersehen habe. Wenn ich mirs also vorsetze, demselben auf die gelehrten Anmerkungen, so er mir mitteilen wollen, zu antworten, so geschieht es gar nicht in der Absicht, als ob ich mich ganz weiß brennen und alles vor Schönheiten ausgeben wollte, was er getadelt hat. Nein, so groß ist meine Selbstliebe nicht. Ich weiß, daß ich sowohl, ja vielleicht noch eher, als ein anderer fehlen kann, werde es auch hier gestehen, wo ich mich dessen überzeugt finden werde. Doch wird es mir erlaubt sein, eins und das andre zu meiner Entschuldigung anzuführen und bei der Gelegenheit manches beizubringen, was zu Beförderung des Geschmacks von theatralischen Gedichten bei unsern Deutschen etwas beitragen kann.

Der erste Punkt, den man mir vorrückt, ist so ungegründet nicht. Es kann leicht kommen, daß man aus einem entgegengesetzten Fehler in den andern fället. Horaz spricht:

2. *„Zwar Dichter fehlen auch; und man verzeiht es leicht, / Indem die Saite doch nicht stets den Ton erreicht, / Den Hand und Ohr verlangt. Es soll oft niedrig klingen: / Doch läßt die Laute gar den höchsten Ton erzwingen. / Ein Bogen trifft nicht stets, wornach er abgezielt. / Allein, wenn ein Poet dem Phöbus nachgespielt / Und seine Lieder uns fast durch und durch gefallen, / Dann mag nur hier und da was Hartes drunter schallen. / Es geht ganz menschlich zu. Wie leicht ist es geschehn, / Daß wir zu sorglos sind und irgendwas versehn!"*

3. Aristarchus von Samothrake: bedeutender alexandrinischer Grammatiker. Berühmt sind seine kritischen Homer-Auslegungen.

In vitium ducit culpae fuga, si caret arte[4].

Ich gestehe es, daß ich eine ähnliche Verbindung der Auftritte gar zu oft wiederholet habe: Und dieses ist es, was sie zum Fehler macht. Denn an sich selbst ist es kein Verbrechen, daß eine Person, die von weitem eine dritte kommen oder erscheinen sieht, zu der andern, mit der sie redet, sagen kann: „Doch ich sehe, daß dieser oder jener zu mir kommt, auf den ich warte oder der dieses, wovon wir sprechen, nicht hören soll" und dergleichen. Ich kann dieses mit unzehlichen Exempeln der besten tragischen Poeten erweisen. Z. E. Corneille im ‚*Cid*' läßt Elviren, die mit dem Roderich spricht, in der III. Handlung am Ende des 1. Auftritts bei Erblickung der Chimene, die von weitem kommt, so sagen:

Elle va revenir; elle vient, je la voi:
Du moins, pour son honneur, Rodrigue, cache-toi[5].

In derselben Handlung, am Ende des 5. Auftritts, spricht Don Diego, als er seinen Sohn Roderich kommen sieht:

Rodrigue ne vit plus, ou respire en prison.
Justes cieux! me trompé-je encore à l'apparence,
Ou si je vois enfin mon unique espérance?
C'est lui, n'en doutons plus; mes voeux sont exaucés,
Ma crainte est dissipée, et mes ennuis cessés[6].

Im ersten Auftritte der IV. Handlung spricht gleichfalls Elvire zur Chimene bei Ankunft der Infantin:

Modérez ces transports, voici venir l'infante[7].

4. „*So leicht ist es geschehn, auch wenn man sich bemüht, / Von Fehlern frei zu sein, daß sich der Kiel versieht.*"

5. „*Sie wird zurückkommen; sie kommt, ich sehe sie: wenigstens um ihrer Ehre willen verstecke dich, Rodrigo.*"

6. „*. . . seine tapfre Brust hinwiederum durchstochen. / Wer weiß, ob Rodrich nicht durch nie erhörte List / Als ein Gefangner schon wohin geführet ist! / Doch darf ich mir denn wohl und meinen Augen trauen, / Die meinen größten Trost in jener Ecke schauen? / Ja, ja, er ist es selbst! Nun ist mein Wunsch erfüllt, / Ein einzger froher Blick hat alle Not gestillt.*"

7. „*Seht, die Prinzessin kömmt; weg mit dem Mißvergnügen.*"

In dem folgenden vierten Auftritte kömmt gar Don Alonse, die Ankunft der Chimene gleich in der ersten Zeile zu vermelden, ob sie selbst gleich erst in der fünften Handlung erscheint. Es heißt:

Sire, Chimène vient vous demander justice[8].

Endlich im 4. Auftritte der V. Handlung sieht Chimene, am Ende, den Don Sanche kommen und ruft bestürzt:

Que vois-je, malhereuse! Elvire, c'en est fait[9].

Ich enthalte mich, mehrere Exempel aus andern Stücken des Corneille oder andrer Poeten anzuführen, weil ein jeder sie leicht selbst nachsehen kann. Ich habe aber mit Fleiß aus dem Corneille, und zwar aus seinem ersten guten Stücke, die obigen Stellen angeführet. Denn es ist gewiß, daß selbiger, als er dieses verfertiget hat, die Regel von dem Zusammenhange der Auftritte noch nicht einmal gewußt, ja, vielfältig dawider verstoßen hat. Wie oft läßt er nicht die Schaubühne leer werden, noch ehe eine Handlung aus ist! Wie oft gehen ein paar Personen weg und es erscheinen ein paar andere, ohne daß man sieht warum. Hat nun Corneille, auch ohne die Regel vom Zusammenhange der Auftritte zu wissen oder beobachten zu wollen, ganz natürlicherweise obige Verse seinen Personen in den Mund legen können: Warum sollte ich es in meinem ‚*Cato*' nicht wahrscheinlicherweise haben tun mögen?

Zudem ist es auch nicht so oft geschehen, als man mich beschuldiget hat, daß ich eben dieselbe Verbindung der Auftritte gebrauchte. Z. E. in der andern Handlung ist der dritte Auftritt nicht dergestalt mit dem zweiten verbunden. Denn der Beschluß von diesem enthält die Antwort des Cato an den Domitius auf den Antrag Cäsars, und Arsene scheinet bei dem Abtritte des Cato ganz von ungefehr dahin zu kommen. Doch vielleicht ist diese Zahl verschrieben, und es hat etwa heißen sollen, „der andere" und vierte Auftritt: Von welchem es allerdings eintrifft. In dem 4. Auftritte der

8. *„Chimene kömmt und will allhier von neuem klagen."*
9. *„Ich Unglückselige! Was seh ich? Er erscheint."*

IV. Handlung finde ich diesen Zusammenhang auch nicht. Denn obgleich Domitius zehn Verse vor dem Ende desselben, nach abgestattetem Berichte von dem Tode des Marcus, sagt:

Mich dünkt, man bringt Euch schon den Leichnam hergetragen,

so ist doch dieses entweder keine Verknüpfung, die der obigen ähnlich wäre, oder man hätte auch aus der fünften Handlung den siebten Auftritt hieher rechnen müssen, wo Portius es den übrigen gleichfalls ankündiget, daß man den Cato hinbringen werde:

Die Diener bringen ihn zu euch hieher getragen!

Da es aber meinem gelinden Richter nicht gefallen, dieses für einen Fehler anzurechnen: So wird jenes auch wohl nicht davor anzusehen sein. Es bleiben also in dem ganzen Trauerspiele nur 10 Auftritte übrig, die auf obgedachte ähnliche Art mit den vorhergehenden zusammenhängen. Und da das ganze Stücke aus 31 Auftritten besteht, so sieht man, daß dieses noch nicht einmal der dritte Teil derselben ist.

Bei dem andern Punkte dünkt es meinem Herrn Kritik-Verfasser, daß der Charakter, den Arsene von dem Cato macht, nachdem sie seiner schon gewahr geworden, zu lang sei und daß er selbst folglich ihre Worte müsse gehöret haben. Sie heißen:

Phenice, siehst du nicht,
Daß seiner Weisheit Strahl durch Schmerz und Kummer bricht.
Bewundre doch den Held! Er hat nicht seinesgleichen,
Die Götter haben ihn mit vielen Unglücksstreichen
Bisher umsonst versucht. Er steht noch immer fest:
Weil ihn sein starker Mut nicht einmal wanken läßt.
Er bleibet gleichgesinnt bei allen ihren Schlägen
Und setzet ihrem Zorn nichts als sich selbst entgegen.

Vors erste gebe ich abermal zu, daß auf einer engen und kurzen Schaubühne, dergleichen auch die unsrige in Leipzig noch ist, freilich ein Teil der Worte von dem Cato gehöret wird, wenn er allmählich herzukommt. Allein, auf einer größern, dergleichen die Dresdenische Churfürstliche Schaubühne ist, ginge es sehr wohl an, diese Worte auszusprechen, ehe Cato nahe genug käme. Er muß ja eben nicht gelaufen kommen, da er ein so ansehnlicher und zumal ganz kummervoller Mann ist: Und kann also in der Zeit, daß acht Zeilen gesagt werden, schon zehn oder fünfzehn Schritte tun, ehe er zu ihr kommt. Allein, zweitens gesetzt, er hörte einen Teil ihrer Rede: Was wäre es denn für ein Fehler? Vielleicht hat sie ihn mit Fleiß wollen hören lassen, was für einen hohen Begriff sie von seiner Tugend und Standhaftigkeit habe! Das ist ja nicht wider die Wahrscheinlichkeit und pflegt vielfältig zu geschehen. Endlich, drittens, hat auch Arsene nicht allererst am Ende des Auftrittes den Charakter des Cato gemacht. Sie hat ja gleich im Anfange gesagt:

Allhier soll Cato mir den besten Trost erteilen.
Von ihm erwart ich ihn, er ist der große Mann,
Auf den das freie Rom noch einzig bauen kann.
Ihm selbst will ich mein Glück und Leben anvertrauen,
Bei ihm will ich mich frei von so viel Wettern schauen,
Die mich bisher bestürmt.

Es würde also der Regel theatralischer Gedichte noch nichts abgegangen sein, wenn gleich die letzte Beschreibung von der Standhaftigkeit Catons gar ausgeblieben oder doch viel kürzer geraten wäre.

Was den dritten Punkt anlanget, so betrifft derselbe allerdings das rechte Hauptwerk eines Trauerspiels. Ein Poet soll freilich der Hauptperson seiner Fabel einen merklichen Vorzug vor allen übrigen geben und die Zuschauer dergestalt vor dieselbe einzunehmen suchen, daß nachmals das Schrekken und Mitleiden in den Unfällen derselben desto empfindlicher werde. Wider diese Regel soll ich nun verstoßen haben, und wo dem also ist, so habe ich freilich einen großen Fehler begangen. Nun könnte ich mich zwar auf den Herrn Deschamps berufen, der in seinem ‚*Cato*‘ schon vor mir eben das getan. Allein, es würde mir nichts helfen, wenn ich ein Versehen meines Vorgängers blindlings nachgeahmet hätte.

Ich muß mich also mit Gründen schützen und erweisen, daß Cato in meinem Trauerspiele weit größer sei als Cäsar, und wenn ja Cäsar in demselben auch als groß vorgestellet wird, daß doch seine Größe nur die Größe Catons desto mehr zu erheben diene.

Dieses zu bewerkstelligen muß ich zum voraus setzen, daß die wahre Größe eines Helden in der Liebe seines Vaterlandes und einer tugendhaften Großmut bestehe; die Herrschsucht aber und die mit einer listigen Verstellung überfirniste Tyrannei unmöglich eine rechte Größe sein könne. Z. E. Marcus Aurelius Antoninus soll einen Krieg für die Wohlfahrt und Sicherheit des römischen Reichs führen: Er hat aber kein Geld in der Kasse. Ehe er hier den Römern einen schweren Tribut auferlegt, die Kriegskosten zu bestreiten: So verkauft er lieber seinen eigenen kostbaren Hausrat in einem öffentlichen Ausrufe. Er sieht es ohne Mißgunst an, daß Bürger und Edle seinen kaiserlichen Palast leer machen und nachmals mit seinem prächtigen Geräte stolzieren: Wenn er nur ohne ihre Beschwerde den Feind zurückehalten kann. Er schenket ein andermal dem aufrührerischen Cassius das Leben und bittet für seine Frau und Kinder bei dem Rate um Vergebung. Nero hergegen plündert halb Rom aus und führt einen unendlichen Staat. Er belustiget zwar die Stadt mit den prächtigsten Schauspielen, aber es ist von dem Gelde der Erschlagenen und Verbannten. Er will zwar dem Scheine nach kein Todesurteil unterschreiben: Allein, heimlich wünscht er, daß der ganze Rat nur einen Hals hätte. Wer ist nun von beiden größer? Ich weiß, daß kein Mensch sein wird, der nicht des M. Aurelius Armut des Nero seinem Überflusse und jenes ungekünstelte Vorbitte vor seine Feinde der verstellten Weichherzigkeit des andern vorziehen sollte.

In eben den Umständen befinden sich Cato und Cäsar. Jener ist unglücklicher als dieser: Aber desto größer an Eigenschaften. Cäsar fällt mit seiner politischen Gelassenheit mehr ins Auge. Aber es ist nur eine Scheintugend. Es ist lauter Rachgier und Herrschsucht, was ihn treibet. Seine Gnade ist nur Verstellung, um auch damit etliche Widerspenstige unter das Joch zu bringen. Cato hergegen sucht nichts für sich, für Rom hergegen alles. Kann er dieses nicht frei sehen, so will er lieber sterben. Cäsar will ihm Gnade erweisen: Allein, er will von einem Tyrannen keine andre annehmen als die Freiheit seines Vaterlandes. Diese will ihm Cäsar nicht bewilligen, erzwingen kann er sie auch nicht: Darum stirbt er. Ist nicht seine unglückliche Tugend unendlichemal größer als Cäsars geschminktes und glückliches Laster?

Es ist wahr, daß Cato eigensinnig zu sein scheinet. Allein, das ist eine unentbehrliche Sache, daß der tragische Held, der unglücklich werden soll, einigermaßen an seinem Unfalle schuld haben muß. So hat Aristoteles uns denselben abschildern gelehret. So haben ihn die alten Poeten der Griechen allezeit gebildet. Hat nicht Ödipus auch an seinem Unglücke einigermaßen schuld, da er ja in der Tat zu hitzig gewesen, als er seinen Vater erschlagen, wiewohl er ihn nicht gekannt? Hat nicht Orestes an seiner Raserei mit schuld, da er seine Mutter Klytemnestra ermordet, wiewohl ers auf Befehl eines Orakels tut? Hat nicht Phädra an ihrem Tode schuld, da sie zuvor ihrer Vertrauten, und zwar in Gegenwart des Chores, ihre verbotene Liebe gegen ihren Stiefsohn Hippolytus entdecket: Ob sie wohl von der Göttin Venus selbst zur Liebe war gereizet worden? So muß denn Cato auch einigermaßen an seinem Unglücke schuld haben: Und in den Umständen, darin er sich befindet, kann solches bloß durch den Eigensinn geschehen, der in ihm sonderlich von der stoischen Philosophie herzukommen schien, obwohl auch sein Naturell viel dazu mag beigetragen haben. Deswegen aber hört doch das Mitleiden gegen ihn noch nicht auf. Er hat so viel Tugenden an sich, er ist so uneigennützig, so begierig, seinem Vaterlande zu helfen, so standhaft im Unglücke, so großmütig, so redlich, so mitleidig, so gerecht und auch zuletzt so sorgfältig für die Wohlfahrt seiner Freunde, daß man sich unmöglich enthalten kann, ihn hochzuschätzen, ihn zu bewundern, ihn zu lieben, ja, ein Mitleiden mit ihm zu haben, wenn man sieht, daß er bei alle dem Guten, so er an sich hat, dennoch umkommt. Wäre Cato ganz unschuldig und vollkommen ohne Tadel gewesen: So würde man der Tugend einen schlechten Dienst getan haben, wenn man ihn dennoch unglücklich werden lassen.

Ich komme auf den vierten Punkt. Hier wird die Art der Ausdrückungen und Gedanken getadelt, die teils zu niedrig, teils den Personen nicht anständig sein soll. Die Anmerkung ist wichtig, und ich weiß nicht, ob ich mich sattsam werde rechtfertigen können. Es ist freilich eine gemeine Meinung, daß die Schreibart der Trauerspiele die erhabenste und prächtigste sein müsse, die man haben kann. Allein, dieses Vorurteil ist wohl bei den meisten aus dem Lesen des tragischen Seneca entstanden, der freilich allezeit auf Stelzen geht und die gemeinsten Sachen so schwülstig ausdrückt, daß es alle Wahrscheinlichkeit und Natur übersteiget. Es ist daher derselbe von den verständigsten Kunstrichtern längst getadelt worden, und man hat sich mit besserm Rechte die griechischen Tragödienschreiber mit ihrem edlen und ungekünstelten Ausdrucke der erhabensten Gedanken zu Mustern zu nehmen. Selbst die neuern französischen Poeten sind von dem Riccoboni in seiner ‚*Histoire du Théâtre italien*' und dem ungenannten italiänischen Skribenten, dessen ‚*Paragone della poesia tragica*' Herr Prof. Bodmer neulich ans Licht gestellet[10], imgleichen von dem Herrn Becelli in der Vorrede zu der ‚*Merope*' des fürtrefflichen Herrn Maffei mit Grunde deswegen getadelt worden. Daß diese, als Ausländer, ihnen darin nicht zuviel getan, bezeuget Fénélon in den ‚*Gedanken von der tragischen Poesie*', die ich am Ende des ‚*Cato*' beigefüget habe, als woselbst er seinen Landsleuten eben den Fehler vorrückt. Ein gleiches hat ihnen der Pierre Brumois in seinem ‚*Théâtre des Grecs*' an verschiedenen Orten ausgesetzet. Horaz selbst hat uns längst die Regel gegeben:

Et tragicus plerumque dolet sermone pedestri,
Telephus et Peleus cum pauper et exsul uterque
Proicit ampullas et sesquipedalia verba,
Si curat cor spectantis tetigisse querella[11].

Der tragische Telephus und Peleus soll also in der niedrigen Schreibart reden, wenn er als ein vertriebener und arm-

10. Das Werk stammt von Pietro Calepio und erschien 1732 in Zürich.
11. „*Im Klagen senkt sich auch das Trauerspiel mit Recht, / Darum spricht Telephus und Peleus platt und schlecht / Ohn allen Wörterpracht: denn soll man mit ihm weinen, / So muß uns erst sein Schmerz ganz ungekünstelt scheinen.*"
Telephus und Peleus waren Personen in verschollenen Dramen von Euripides und Sophokles.

seliger Prinz aufgeführet wird. Er soll die hochtrabende Reden und schwülstige Worte wegwerfen, wenn er seinen Zuschauer zum Mitleiden bewegen will. Das hat Seneca nicht geglaubet. Das hat auch Lohenstein nicht beobachtet.

Die wahre Regel der Schreibart ist bloß die Wahrscheinlichkeit und die allgemeine Pflicht des Poeten, die Natur selbst nachzuahmen. Was sagt Horaz?

Respicere exemplar vitae morumque iubebo
Doctum imitatorem et vivas hinc ducere voces[12].

Wie würde sichs nun in der Tragödie schicken, wenn man den jungen Portius so wollte reden lassen als einen erfahrnen und gesetzten Cato oder einen niederträchtigen und boshaften Pharnaz, als einen edelmütigen Cäsar? Es muß doch der Unterscheid ihrer Charaktere auch aus ihren Worten hervorleuchten. Die Personen der Tragödie sind nicht sinnreiche Poeten, die so künstlich denken und reden können wie Seneca und Lohenstein. Sie sind ordentliche Menschen, die nach Beschaffenheit ihres Standes, Alters, Geschlechtes, Glückes und Unglückes diese oder eine andre Sprache führen. Da heißt es denn nach Horatii abermaliger Fürschrift:

Ne forte seniles
Mandentur iuveni partes pueroque viriles:
Semper in adiunctis aevoque morabitur aptis[13].

Dieses mag genug sein, das erste zu beantworten, da mein Criticus des Portius und Pharnaces Ausdrückungen vor gar zu niedrig gescholten hat. Denn weil er keine besondre Stelle davon anführt, so kann ich auch keine verteidigen. Aber eben das kann auch die ersten beiden Zeilen des ganzen Trauerspiels entschuldigen. Es ist wahr, Arsene macht kein groß Geschrei im Anfange, wie Lohensteins Heldinnen tun.

12. *„Wer klüglich bilden will, der schaue die Natur / Und Art des Menschen an und folge dieser Spur: / So wird er fähig sein, sie lebhaft abzuschildern."*

13. *„Drum laß den Jüngling nie des Greises Rolle machen; / Kein Greis sei Knaben gleich. Man muß in allen Sachen / Auf das, was sich geziemt, und auf den Wohlstand sehn."*

Non fumum ex fulgore, sed ex fumo dare lucem
Cogitat[14].

Sie redet natürlich, wie eine Prinzessin ihr Kammerfräulein anzureden pflegt:

Phenice, komm nur her, hier will ich mich verweilen;
Allhier soll Cato mir den besten Trost erteilen.

Ist es wohl wahrscheinlich, daß sie als eine bedrängte und in der Fremde verlassene Prinzessin, ohne Vater, ohne Gemahl, ohne Hofstadt, ohne Armee, von dem Cäsar bedrohet, vom Pharnaz geängstet, mit großen Prunkworten auftreten wird, um ihrer Vertrauten zu sagen, daß sie bei dem Cato allein Trost suchen wolle? Sie sagt aber auch in beiden Zeilen nicht einerlei. Die andre sagt unstreitig mehr als die erste, indem sie die Ursache enthält, warum sie sich an dem Orte in etwas verweilen wolle.

Was die letzte Szene betrifft, da Portius sich selber nicht ähnlich soll geblieben sein, indem er seine vorige Herzhaftigkeit vergißt und den toten Leib seines Vaters zum Cäsar will tragen lassen:

Kommt, tragt den toten Leib vor Cäsars Angesicht,
Wer weiß, ob ihm nicht noch sein hartes Herze bricht,
Wenn er den Helden sieht in seinem Blute liegen.

So hat es allerdings einen großen Schein; ja, es ist in der Tat so, daß er sich selbst gar nicht mehr ähnlich ist. Allein, darum habe ich noch nichts verloren. Er hat so sein müssen, wenn er Portius, das ist ein Jüngling, und zwar in solchen Umständen, als er war, hat sein sollen. Sollte ich ihn denn etwa so gesetzt als seinen Vater gebildet haben? Wie wäre das bei einem Jünglinge wahrscheinlich gewesen? Ich müßte nicht gewußt haben, was abermal Horaz sagt, wenn er uns den Charakter der Jünglinge beschreibt. Da hat er in einem einzigen Verse den trotzigen Sinn, die Heftigkeit der Begierden und die Unbeständigkeit zugleich abgeschildert:

14. *„Hier folgt das Finstre nicht / Auf heller Blitze Glanz; der Dampf erzeugt das Licht."*

Sublimis cupidusque et amata relinquere pernix[15].

Mein Portius hat alle diese drei Eigenschaften bewiesen. Er ist stolz und trotzig, da sein Vater noch lebt, auf den er sich verlassen kann: Darum begegnet er dem Pharnaz so heftig und höhnisch. Er ist heftig in Begierden, indem er sich in Arsenen verliebt hat und hernach bei entstandenem Tumulte der erste sein will, der den Pharnaz erlegt. Er ist endlich auch unbeständig in seinen Entschlüßungen: Denn da er sich bei den letzten Lehren seines Vaters am Ende der 4ten Handlung so willig erkläret, daß er ein solches Leben, als ihm Cato vorschreibt, unmöglich hassen könne: So verläßt er freilich am Ende, da ihn der unvermutete Tod des Cato zaghaft macht, diesen löblichen Vorsatz und will lieber den Cäsar in der Güte gewinnen. Er ist also ein vollkommener junger Mensch, so wie die Natur und Erfahrung uns dieselben vorstellet. Und was hätte doch ein unerfahrner Jüngling schon viel auf des jungen Pompeji Armee denken können, da er ja noch einen viel elendern Feldherrn derselben würde abgegeben haben als jener? Ein Cato hätte an ihrer Spitze stehen müssen: Und vielleicht wäre auch dieser dem kriegerischen und glücklichen Cäsar nicht gewachsen gewesen! Portius kannte sich selbst: Darum versprach er nicht mehr, als er halten konnte.

Der fünfte Punkt, den man mir angemerket hat, ist dieser, daß ich nemlich selbst den Fehler begangen, den ich an dem Addison getadelt habe: Indem ich Arsenen in der II. Handlung im 5ten Auftritte einmal weggehen lasse, ohne daß sie sagt warum. Es ist wahr, Arsene hört die Worte des Portius, der sich zu ihrem Verteidiger anbietet, sie sagt nichts dazu und geht ab. Allein, was hätte sie ihm noch antworten sollen, da vielmehr Portius in diesen Worten ihr die Antwort auf ihre vorhin geschehene Bitte und Anklage des Pharnaces gegeben? Sie schloß so:

Drum kommt und rettet mich und Eures Vaters Ehre
Und gebt, mein Portius, der Hinterlist die Lehre,
Daß Rom die Bosheit nicht in Schutz zu nehmen pflegt
Und keine Königin in Mörderarme legt.

15. *„Ist stolz, vor Lust erhitzt / Und kann doch, was er liebt, in kurzem wieder hassen.“*

Hierauf setzt Portius den Pharnaz zur Rede und verweiset ihm, daß er seinen Vater einen Betrüger geheißen habe. Er versichert die Königin des Schutzes, den Cato ihr versprochen, und setzt hinzu, daß Pharnaz selber in Utica ihm untertan sei. Als dieser sich dadurch beschimpft hält, sagt er ihm auf gut römisch unter die Augen:

In Pontus seid Ihr König,
Doch nicht in Afrika. Hier gilt ein Prinz sehr wenig!

Und hierauf folgt die letzte Versicherung, daß er im Falle der Not selbst für ihre Wohlfahrt fechten wolle. Nun hat ja Arsene ihren Zweck erreichet. Sie sieht es gern, daß sie dem Pharnaz was anders zu tun gegeben. Ohne Zweifel wird er sich noch wegen der letzten Worte verantworten wollen. Die Gelegenheit nimmt sie in acht und geht davon. Sie hat ohnedem nur mit Verdruß den Pharnaz neben sich leiden müssen. Es hieß am Ende der 3. Szene:

Doch welch ein Ungelücke!
Pharnaz erscheinet hier. Verdrießliches Geschicke!

Sie will ihn im 4. Auftritte fliehen und beschwert sich, daß er sie auch in Utica verfolge. Ein so unangenehmes Gespräche mit ihrem vermeinten Brudermörder und verhaßten Liebhaber, der mehr ihre Krone als sie selbst liebte, mußte sie wohl überdrüssig werden. Was ist es also Wunder, daß sie davongeht, ohne zu sagen warum? Portius konnte es leicht denken, daß sie nicht ihm, als ihrem Verteidiger, sondern dem Pharnaz den Rücken kehre. Pharnaz selbst wußte ja, daß sie ihm schon vorhin entgehen wollen. Folglich dünkt mich nun die Ursache ihres Abtritts klar genug zu sein, und ich habe auch hier wider keine theatralische Regel gesündiget.

Nun muß ich endlich noch Rede und Antwort geben, ob ich auch den Cato selbst einmal von seinem Charakter habe abweichen lassen. Mein geschickter Criticus glaubt, dieses sei da geschehen, wo derselbe die Zeitung von dem Leben seiner Tochter erhält, die er für tot gehalten hatte. Cato sollte nicht so sehr dadurch bewegt worden sein, meint er, daß er in eine so heftige Verwunderung geraten wäre, als aus der viermal wiederholten und kurz abgebrochenen Frage erhellet. Allein, ich frage nur, ob Cato, aller seiner Philosophie ungeachtet, nicht noch ein Mensch geblieben? Gewiß, auch die stoischen Lehren konnten die Zärtlichkeit eines Vaters nicht ganz ersticken. Als der Kaiser Marcus Aurelius um den Tod eines seiner Lehrmeister Tränen vergoß und seine Hofleute ihn fragten, ob sich das für einen Kaiser und Weltweisen schicke, so sprach er: „Erlaubet mir doch auch einmal, ein Mensch zu sein!" Warum sollte nun Cato die Freiheit nicht auch gehabt haben? Die Zeitung kam auch allzu unverhofft, da er nichts weniger denken konnte, als daß sein Kind noch leben sollte. Von seinem Sohne Marcus hört er den Tod mit Freuden erzehlen: Teils weil er rühmlich gestorben, teils weil Cato durch die vorhergehende Erzehlung allmählich dazu vorbereitet worden. Es hatten sich auch die Stoiker schon zum voraus auf dergleichen Trauerfälle vorbereitet. Sie stellten sichs oft vor, daß sie diesen oder jenen aus ihrer Familie einbüßen könnten. Todesfälle sind nemlich leicht möglich und was Gewöhnliches. Aber daß tote Leute lebendig würden, das hatte nicht soviel Wahrscheinlichkeit. Darauf hatte sich Cato noch nie vorbereitet. Er konnte also bei einer so seltsamen Zeitung leicht aus seiner Gleichmütigkeit kommen und wiederum einmal auf einige Augenblicke ein Mensch werden.

Alle diese Verteidigungen der mir angemerkten Fehler will ich nunmehro meinem unbekannten Richter und seinen gelehrten Freunden, deren Beistand er gehabt, imgleichen dem berühmten Manne, der die mir überschickten Gedanken selbst mit seinem Beifalle bestärket hat, zu eigener Beurteilung und Prüfung überlassen. Ich habe vielleicht auch hierin Fehler mit Fehlern gehäufet und die Schwäche meiner Einsicht in die theatralische Poesie verraten. Wie leicht könnte dieses kommen, da ich unter meinen Landsleuten noch so wenige Vorgänger darin gehabt! Sollte also mein neues Urteil so ausfallen, so werde ich mich gefangengeben und kein Wort mehr sagen, mich von neuem zu verteidigen. Ja, auch jetzo gebe ich meinem Critico in der letzten Anmerkung schon vollkommen recht. Es ist wahr, daß ich besser getan hätte, wenn ich durchgehends alle Personen einander auf gut römisch hätte *du* heißen lassen. Allein, ich will sagen, was mich verführt hat: Ich dachte, daß man unsere Deutschen nicht auf einmal mit einer so großen Veränderung zu übereilen hätte. Es dünkt uns sehr grob, wenn eine Bediente zu ihrer Prinzessin, ein Sohn zu seinem Vater usw. *du* saget. Daher habe ich eine Mittelstraße halten wollen. Phenice heißt ihre Prinzessin, diese den Cäsar, den Cato, den Pharnaz, solange sie noch höflich mit ihm redet, den Portius, solange sie ihn noch nicht für ihren Bruder erkennet, usw. *Ihr.* Cato nennt die Arsene als eine Königin, den Cäsar als einen großen Feldherrn, solange er noch gelassen mit ihm redet, gleichfalls *Ihr.* Seine Bedienten gegen ihn tun es gleichfalls: Wie auch Pharnaz gegen die Königin, den Cato und den Cäsar tut. Allein, eben diese Personen, teils wenn sie im Affekte stehen, teils wenn sie mit Schlechtern reden, teils nachdem Cato die Arsene für seine Tochter erkläret hat, heißen einander auch *du.* Doch ich gestehe es, ich hätte besser getan, wenn ich durchgehends dieses beobachtet hätte. Es wäre ein Verantworten gewesen. Soll ich künftig noch ein Trauerspiel machen, so werde ich mir ein Gesetz machen, solches zu tun und also auch hierin die edle Einfalt alter Sitten zum wenigsten auf der Schaubühne zur Bewunderung darstellen. Andere werden das, was ich versehen habe, besser machen.

Ergo fungar vice cotis, acutum
Reddere quae ferrum valet, exsors ipsa secandi[16].

Zusatz

Als das Vorige bereits im Drucke war, erhielte ich ein abermaliges Schreiben von obgedachtem gelehrten Manne und werten Gönner, darin mir selbiger noch folgende Erinnerung zu machen beliebet hat: „Was mir noch beifällt", heißt es, „ist, daß der Tod des Cato nicht beschrieben worden, wie ich ihn im Plutarchus, Florus und Seneca vorgestellt angetroffen. Man sehe sonderlich Seneca ‚*De Providentia*',

16. *„Ich trachte, den Poeten / Hinfort ein Sporn zu sein, ein Antrieb ihrer Flöten. / Denn wie ein Wetzstein schärft und selbt nicht schneiden kann."*

Kap. II, und *Epistulae* XCIII. Ich habe das Schauspiel jetzt nicht bei der Hand, daher ich mich auch nicht deutlicher erklären kann. Was mir an einigen Versen zu verbessern vorkommet, sind Kleinigkeiten, die ich Ihnen aber doch auch, wo Sie sie wissen wollen, überschicken will. Kritisieren ist leichter als selbst etwas Vollkommenes machen: Inzwischen hat jenes doch seinen großen Nutzen, wenn es mit Verstande und Bescheidenheit geschieht. Wie ich denn auch nicht zweifle, daß dero ‚*Cato*' noch ein vollkommenes Meisterstücke werden könne."

Mein Criticus hat in dem ersten vollkommen recht. Cato ist freilich in der Historie etwas anders als in dem Schauspiele gestorben. Ich will die aus dem Seneca angezogenen Stellen hersetzen, und zwar die erste nach der schönen Übersetzung, die wir von Herrn Magister Mayen haben[17]. Es heißt am Ende des II. Kapitels so:

„*Die Götter müssen wahrhaftig mit großem Vergnügen zugesehen haben, da dieser Mann mit sich selber so hart umging, andern ein so vortreffliches Exempel gab und ihnen zeigte, wie sie entfliehen sollten, da er noch in der letzten Nacht studierte, da er sich den Dolch in die Brust stieß, da er sein Eingeweide ausschüttete und die herrliche Seele, welche nicht verdienete, daß sie durch das Eisen verunehret werden sollte, mit seiner eigenen Hand herausführete. Der Stich mißlung ihm und war nicht tödlich. Ich glaube, die unsterblichen Götter ließen dieses deswegen geschehen, weil es ihnen nicht genug war, den Cato nur einmal sterben zu sehen. Er behielt seine Kraft noch, und sie wurde ihm gestärket, damit sie sich auch in dem schwersten Falle zeigen möchte. Denn es gehört noch lange kein so großer Mut dazu, sich in den Tod zu wagen, als denselben noch einmal auszustehen.*"

Die andere [Stelle] finde ich zwar in dem angezogenen Orte nicht; allein, es sind sonst verschiedene Briefe, darin davon gehandelt wird. Z. E. im LXVII.: „*Aspice M. Catonem sacro illi pectori purissimas manus admoventem et vul-*

17. Johann Friedrich May (1697—1762): Des L. Annaeus Seneca Abhandlung von der göttlichen Vorsorge; aus dem Lateinischen übersetzt; nebst einer Rede von der Möglichkeit, anständig vergnügt zu sein. Leipzig 1729.

nera parum ante demissa laxantem[18]." Im LXXsten heißt es: „*Non est quod existimes magnis tantum viris hoc robur fuisse, quo servitutis humanae claustra perrumperent. Non est quod iudices hoc fieri, nisi a Catone non posse, qui quam ferro non emiserat animam manu extraxit*[19]." Siehe auch den XCV. Brief, der aber nur einen bloßen Lobspruch und keinen historischen Umstand in sich hält. Dieses alles ist nicht zu leugnen und weder dem Addison noch Deschamps, noch auch mir unbekannt gewesen. Allein, gleichwohl haben wir unsern tragischen Cato nicht ebenso sterben lassen. Die Ursache ist diese, daß unser Cato kein historischer, sondern ein poetischer, kein wahrhafter, sondern erdichteter und nach den Regeln der Schaubühne eingerichteter Cato ist. Wer sich aus Aristotelis Poetik, dem Pater Bossu oder aus der ‚*Critischen Dichtkunst*' erinnert, daß die Fabel der Poeten erst allgemein abgefaßt wird, um eine Sittenlehre dadurch ins Licht zu setzen, hernach aber allererst durch die Benennung ihrer Hauptpersonen aus der Historie der Wahrheit ähnlich gemacht wird: Der wird es leicht begreifen, was ich hier sagen will. Das würde kein Gedichte, sondern eine Geschichte gewesen sein, wenn man die kleinsten Umstände vom Tode Catons aus der Historie beibehalten hätte. Viele von unsern deutschen Verfertigern der gemeinen Schauspiele haben dadurch alle Regeln der dramatischen Poesie übertreten.

Es ließ sich aber diese Todesart des Cato deswegen nicht so, wie sie gewesen, vorstellen: Weil sie sich auf der Schaubühne unmöglich zeigen ließ. Wie hätte man das schreckliche Spektakel ertragen können, daß ein Mann seinen Bauch mit eigenen Händen aufreißt und das Eingeweide herauszerret, um desto gewisser und eher zu sterben? Nur den bloßen Tod, nachdem der tödliche Stich schon geschehen war, vor den Zuschauern erfolgen zu lassen, das

18. „*Blicke hin auf den M. Cato, wie er die so reine Hand an die heilige Brust legt und die Wunde, die nicht tief genug gedrungen war, weiter aufreißt.*" (Übersetzung v. A. Forbiger.)

19. „*Du darfst nicht glauben, nur große Männer hätten die Kraft besessen, den Kerker der menschlichen Sklaverei zu durchbrechen. Du brauchst nicht der Meinung zu sein, dies könne nur von einem Cato geschehen, der sein Leben, dem er mit dem Schwerte keinen Ausgang verschafft hatte, mit der Hand herausriß.*" (Übersetzung v. A. Forbiger.)

ist schon eine Verwegenheit, die einigen zärtlichen Kunstrichtern verwerflich vorkommt. Man soll ja, wie sie glauben, gar keinen Todesfall auf der Bühne vorstellen: Wiewohl andre es in gewissen Fällen verstatten, wo es ohne Blutvergießen geschehen kann. Aber das wäre bei diesem wahren Catonischen Tode nicht möglich gewesen. Vielmehr würde sein Selbstmord dadurch so abscheulich geworden sein, als wenn Medea ihre Kinder vor den Augen der Zuschauer ermordet oder Atreus Menschenfleisch auf der Schaubühne gesotten und dem Thyestes zu essen vorgesetzet hätte. Beides aber verbietet uns Horaz:

Ne pueros coram populo Medea trucidet
Aut humana palam coquat extra nefarius Atreus
Aut in avem Procne vertatur, Cadmus in anguem.
Quodcumque ostendis mihi sic, incredulus odi[20].

Nun könnte man zwar sagen: Es hätte wenigstens dieser schreckliche Umstand des Catonischen Selbstmordes können erzehlet werden, gleichwie Portius auch das übrige, so sich in dem Schlafgemache zugetragen, erzehlen muß. Allein, auch dieses ließ sich nach den Absichten der Tragödie nicht tun. Man will den Cato nicht zum Scheusal der Zuschauer machen, sondern zu einem herzhaften Stoiker, der den Tod nicht fürchtet und die Freiheit mehr als sein Leben liebt. Hierzu ist genug, daß er das Herz hat, sich zu ermorden. Daß es auf eine grausame Art geschehe, ist gar nicht nötig. Dieses würde ihn nicht mitleidenswürdig machen: Jenes aber läßt ihm noch einiges Erbarmen bei dem Zuschauer übrig, wenn man seine Umstände in Betrachtung zieht. Und wie, wenn man gar den heftigen Schlag hätte auf der Schaubühne vorstellen wollen, den Cato seinem Bedienten, der ihm das Gewehr nehmen wollte, ins Gesichte gegeben, daß ihm etliche Zähne davon in den Hals gefallen und ihm

20. *„Medea darf den Mord an ihrer Leibesfrucht / Nicht öffentlich begehn. Des Atreus Eifersucht / Gibt dem Thyestes zwar das Fleisch gekochter Knaben, / Doch darf man Topf und Herd nicht selbst gesehen haben, / Wo sie gesotten sind. Verwandelt Progne sich, / Wird Kadmus eine Schlang, alsdann bediene dich / Der Freiheit nimmermehr, dergleichen sehn zu lassen: / Ich glaub es wahrlich nicht und werd es ewig hassen.“*

selbst die Hand davon so blutig geworden, daß sie verbunden werden müssen? Wie, wenn man ihn selbst vor den Zuschauern hätte aus dem Bette auf die Erde fallen lassen? Alles dieses ist zwar der Geschichte gemäß, war aber gar nicht zu den Absichten des Trauerspieles nötig und mußte also mit Bedacht von einem Poeten übergangen werden.

Was ferner die Fehler meiner Verse anbetrifft: So sehe ich schon vorher, daß ich mich darin am allerwenigsten werde verteidigen können. Man kann allerdings darin eine große Vollkommenheit fordern, die aber sehr schwer zu erlangen ist, wenn man 1500 bis 1800 Verse machen soll. Nicht als ob es unmöglich wäre, sondern weil es gar zuviel Geduld, Zeit und Mühe kostet, in allen Zeilen gleich regelmäßig zu schreiben. Ich sehe selbst unzehliche kleine Fehler in meinen Versen, zumal in diesem ‚*Cato*', die ich keinem als Schönheiten anpreisen will. Allein, wer kann sie bei dem großen Zwange, den uns unsre gereimte Verskunst auferlegt, so genau vermeiden?

Sunt delicta tamen, quibus ignovisse velimus:
Nam neque chorda sonum reddit quem volt manus et mens,
Poscentique gravem persaepe remittit acutum,
nec semper feriet quodcumque minabitur arcus[21].

Doch soll es mir überaus lieb sein, wenn mein gelehrter Criticus es auch in diesem Stücke mit mir machen wird, wie Horaz es von dem Quintilius Varus rühmet oder was er von einem jeden redlichen und klugen Manne überhaupt saget, den man um sein Urteil ersuchet:

Vir bonus et prudens reprehendet inertis,
Culpabit duros, incomptis adlinet atrum
Transverso calamo signum, ambitiosa recidit
Ornamenta, parum claris lucem dare coget,
Arguet ambigue dictum, mutanda notabit[22].

21. Vgl. Fußnote 2.
22. *„So machts ein kluger Mann, er tadelt matte Zeilen, / Verwirft ein hartes Wort, bemerkt auch wohl zuweilen / Am Rande, wo der Vers was Ungeschicktes zeigt. / Er meistert allen Schmuck, der gar zu prächtig steigt. / Was unverständlich ist, das heißt er klärer machen, / Bestraft den Doppelsinn."*

Dieses alles will ich mir auch von demselben ausbitten, und ich verspreche, soviel möglich, hierin bei einer neuen Auflage alles zu ändern. So kann es vielleicht einmal geschehen, daß ‚*Cato*' durch fremden Beistand mit der Zeit diejenige Vollkommenheit erhalten wird, die ich allein ihm zu geben nicht imstande gewesen bin.

IMMANUEL PYRA

Untersuchung der innern Einrichtung des teutschen ‚Cato' nach den Regeln des Aristoteles

Da ich des Vorhabens bin, den deutschen ‚*Cato*' des Herrn Prof. Gottscheds nach den Regeln des Aristoteles zu untersuchen, so muß ich gleich anfangs mich wegen meiner Absichten und der Gründen derselben gegen meine Leser erklären, damit die Vorurteile, mit welchen die meisten eine Kritik ergreifen, nicht den Nutzen verhindern mögen, den ich durch diese Bemühung suche. Will man davon urteilen, so muß man den Begriff in sein Gemüt zurückrufen, der einen Kunstrichter und Aristarch von einem Lästerer und Zoilus[1] unterscheidet und den ich mir stets vorstelle. Man wird an dem Bilde desselben ein aufrichtiges und patriotisches Herz nicht weniger als einen hellen und geübten Verstand für ein wesentlich Hauptstücke erkennen.

Aus dieser Erklärung folgen die strengen Gesetze, unter welche derjenige seinen Geist zwingen muß, der über andre nach den Regeln urteilen will. Niemals darf er sich an die von Gott oder der Obrigkeit bestätigte Ordnung vergreifen. Kronen, Wappen, Hirtenstäbe, Thronen, Altäre, Lehrstühle müssen ihm unentweihet stehen bleiben. Nur allein Lorbeerkränze darf er von geistlosen und unverdienten Köpfen reißen, ohne doch ihre Würde und ihr Ehrenzeichen anzutasten. Nur allein auf dem Parnasse darf er seinen Eifer herrschen lassen. Nicht dem guten Gerüchte und

1. Zoilos aus Amphipolis galt schon bei seinen Zeitgenossen (4. Jh. v. Chr.) wegen seiner scharfen Homerkritik als kleinlicher, zänkischer Tadler.

Leumunde, sondern allein dem öffentlichen Beifalle der Toren darf er widersprechen.

Ich suche also dem Herrn Prof. Gottsched nicht im geringsten an der Ehre zu schaden, die er sich durch seinen Fleiß im Amte und durch seinen tugendhaften Wandel erworben. Ich würde mir vielmehr ein Vergnügen machen, aller Welt den vorteilhaftesten Begriff beizubringen; wann ich ein Zeuge davon gewesen wäre. Aber sollte mich deswegen die Hochachtung, die ich seinem Amte oder seinem Leben schuldig bin, hindern, seine poetische Ehre, der er sich unrechtmäßig angemaßet oder die ihm Schmeichler beigeleget, wieder zu zernichten, da sie andern mehr schaden als ihm nutzen kann?

Nein, der Criticus siehet, wie die Poeten, seinen Dichter oder Redner bloß als eine unbestimmte allgemeine Person an, welche allen zum Spiegel dienen kann. Und dergestalt lacht Persius[2] so ungescheuet den gekrönten, aber elenden Versmacher Nero als den Codrus aus; und Wernicke hielt sich nicht zu hoch, den liederlichen und ungeschickten Menantes sowohl zu züchtigen als den gelehrten und angesehnen Postel, weil sie beide schlechte Poeten und Widersacher des guten Geschmacks und dabei in einem schadenden Kredite waren[3].

Man sieht also leicht, daß ich es bloßerdings mit dem Herrn Gottsched, dem berüchtigten Poeten und Verfasser der ‚*Critischen Dichtkunst*' und des ‚*Cato*', nicht aber mit Sr. Magnifizenz dem Herrn Professor der Poesie und Weltweisheit, dem ich in diesem Range nie die bürgerliche schuldige Ehrerbietung verweigern werde, aufnehme. Nicht sein akademischer Purpur und Zepter, sondern seine Lorbeern, seine Flöte sind es, mit welchen es meine Kritik zu tun hat.

Aber wie man nie auf den Rang eines Dichters die geringste Achtung schlagen darf, so ist man sie um so viel mehr seiner Stufe, die er auf dem Parnasse erstiegen hat,

2. Persius Flaccus (34 v. — 62 n. Chr.), römischer Satiriker.

3. Chistian Wernicke (1665—1725), deutscher Epigrammatiker, geriet als Gegner des Stils der sog. „Zweiten schlesischen Schule" (Lohenstein, Hofmannswaldau) mit Christian Friedrich Hunold, gen. Menantes (1680 bis 1721), und Christian Henrich Postel (1658—1705) in einen scharfen literarischen Streit.

schuldig. Nur allein die Ehre, womit ihn die Musen bekleiden, erwirbet ihm die Ehrfurcht eines Kunstrichters. So trug die französische Akademie kein Bedenken, den Corneille, den keine Wappen wie den Scudéry deckten, wider ihn zu verteidigen[4]. Boileau hingegen scheuete sich nicht, den Pradon öffentlich zu tadeln, ob er gleich die Vornehmsten, ja Prinzen vom Geblüte und selbst die geschickte Deshoulières auf seiner Seite hatte[5].

Aber auch der Rang auf dem Pindus schützet nicht die ärgernden Fehler. Richelieu reichte dem Corneille mit der einen Hand freudig das Ehrengehalt, da er mit der andern die Striegel gegen ihn schärfte. Eben diese Stufe, auf welcher ein Verfasser in der Gunst des Apollo würklich stehet, macht aber auch, daß man so ungleich verfähret. Einen Corneille pries man, ob er gleich viel gröbere Fehler in seinem ‚*Cid*' begangen und die Regeln vielleicht mehr überschritten hatte als Pradon in seinem ‚*Régulus*', der doch ganz verachtet ward. Ihr fragt warum. Jener hatte unendlich größere und mehrere Schönheiten, die seine Fehler durch ihren starken Glanz unsichtbar machten, dieser aber viel weniger Schönheiten als Schnitzer. Denn daß einer schlechtweg und knechtisch einigen dürren Regeln dem Wortverstande nach, ohne der poetischen Begeisterung, ohne Hoheit und Anmut gehorchet, das gibt ihm nicht den geringsten Vorzug.

Wen die Dichtkunst nicht selbst, sondern nur ein Lehrbuch erleuchtet, der kann nicht ihr Priester sein. Aristoteles selbst kann aus einem Klotze nichts weiter als einen regelmäßigen oder vielmehr handwerksmäßigen Bau- und Reimschmied, aber keinen Maro bilden.

Vergeblich denkt ein kecker Geist den Gipfel von der
Kunst zu dichten

4. Die Académie Française hatte 1638 in ihrer ersten Veröffentlichung, veranlaßt von ihrem Mitglied, dem Dichter Georges de Scudéry (1601 bis 1667), zwar Kritik an Corneilles ‚*Cid*' geübt (Behandlung der drei Einheiten, Verwendung des spanischen Stoffes), gleichzeitig aber den „*unerklärbaren Zauber*" des Werkes hervorgehoben.

5. Antoinette Deshoulières (1634—94), franz. Dichterin (Idyllen), ist vor allem als Haupt einer Racine bekämpfenden literarischen Gruppe bekannt geworden, der auch Nicola Pradon (1632—98) angehörte. Er brachte zwei Tage nach Racines ‚*Phèdre*' sein eigenes Drama ‚*Phèdre et Hippolyt*' zur Aufführung.

Auf dem Parnasse zu erreichen; wofern er nicht in seiner Brust
Des Himmels feuerreiche Kraft und den geheimen Einfluß fühlet
Und sein Gestirn in der Geburt ihn nicht zum Dichter schon gebildet.
Im Kerker seines engen Geists sieht er beständig sich gefangen.
Für ihn ist Phöbus immer taub und Pegasus nur steif und stätig.
(Boileau)

Eben dieser Mangel des Geistes ist es, welcher den deutschen ‚*Cato*' so sehr der Striegel würdig oder vielmehr unwürdig macht. Man würde auch in der Tat diese Kritik haben im Winkel liegen lassen, wann der ‚*Cato*' nicht so viel Unruhe und Verführung anrichtete. Ja, man wird sagen, der Herr Gottsched ist so berühmt und hat andern Verse machen lehren! Eben dies ists. Eben ein solches schädliches Vorurteil des Ansehns, einen so unverdienten Ruhm muß ein patriotischer unerschrockner Kunstrichter zernichten und den Götzen fällen, der die Poeten sündigen macht.

Und weil er nach der Art des Männlings[6] sich ausdrücklich rühmet und die Welt bereden will, er könne durch seine truckne Regeln Dichter in aller Art machen, und darneben auch die verachtet, die andere nur zu einer gründlichen Einsicht bringen wollen, und dabei behauptet, daß nichts schön sein könne, als was nach seinen flüchtigen Regeln gemacht sei, so muß man zeigen, wie falsch dies ist und wie wenig sie zureichend sein, da selbst der Lehrer derselben schwach und elend geblieben ist: weil er sich ohne den gehorigen Geist daran gewaget hat. Ich kann mir nicht einbilden, daß er nicht zum wenigsten in dem Laufe auf diesem Felde seine Ohnmacht selbst sollte gefühlet haben: denn es kann nichts Ärgers sein, als daß ein Geist, der kaum Feuer genug zu einer Ode hat, sich gar an ein Trauerspiel wagen will.

Die Erfahrung lehrt, daß diese blinde Verwegenheit schon

6. Gemeint ist die Vorrede in Johann Christoph Männlings (1658 bis 1723) ‚*Poetischem Lexikon*', 1715.

manchen verführet hat, dann sie sehen: „*Labor omnia vicit / Improbus et duris urgens in rebus egestas*[7]“, und Herr Gottsched selbst, der doch so offenbar schwach ist, wird gehört, gelesen und gelobet.

Diesem Übel soll Aristoteles steuren. Das einzige, was noch die Deutschen wegen ihres großen Beifalls, den sie diesen matten Versen geben, entschuldigen kann, ist, daß man sie beredet hat, es sei das allerregelmäßigste Stück. Vielleicht brauchen sie künftig ihre eignen Augen bei Austeilung des Lobes, wann sie sehen, wie sehr man ihre Gutherzigkeit hintergangen habe. Es wird, wie ich hoffe, klar an die Sonne gelegt werden, daß nichts als das Vorurteil des Ansehns und die ziemlich reinen Reime dieses Gedichte haben in der Höhe erhalten können.

Ich zweifle nicht, daß mir der Herr Verfasser nach seiner Gewohnheit verächtlich begegnen wird. Aber da er einen Schulmann in Kamenz[8] würdig geachtet, sein von ihm erhaltenes Lob auszubreiten, so wird er meiner Person wegen meinen Tadel auch nicht verachten können, wo er anders billig heißen will.

Ich bleibe gleich, so zu reden, am Tore dieses Schauspiels stehen. Die Aufschrift „*Der sterbende Cato*“ ist mir anstößig. Und das nach des Herrn Verfassers eignen Regeln und Gründen. Dann erstlich muß der Titel nie den Ausgang verraten. Der Leser wird dadurch um das Vergnügen des Unerwarteten gebracht. Deswegen ist in den ‚*Critischen Beyträgen*‘ mit Recht die Benennung „*Tragikomedie*“ getadelt[9], wiewohl die noch nicht so verräterisch ist als das Wort „*sterbend*“, indem jene nur überhaupt die Art des Ausganges, diese aber noch außerdem die Beschaffenheit desselben ganz deutlich anzeiget. Denn es kann ja ein Trauerspiel sich auf eine andre Art als durch den Tod trau-

7. „*Alles besieget / Unverdrossener Fleiß und die Not des dringenden Mangels.*“ Vergil, *Georgicon* I, V. 145 f. (Übersetzung von J. H. Voss.)

8. Gemeint ist der Gottsched-Anhänger und Rektor des Gymnasiums in Kamenz, Johann Gottfried Heinitz (1712—90), der 1740 eine (verschollene) Abhandlung über ‚*Die Schaubühne als Schule der Beredsamkeit*‘ verfaßt hatte. Im 8. Bande der ‚*Critischen Beyträge*‘ (S. 354 f.) hatte Gottsched Auszüge aus Einladungsschriften Heinitzens zu zwei Schulaufführungen in Kamenz veröffentlicht.

9. Im 7. Band, 1741, S. 572 ff.

rig enden. Die Alten haben zwar auch dem Namen ihres Helden ein Beiwort zugesellet, aber das entdeckt nicht die Beschaffenheit des Schlusses, sondern nur der Hauptperson, oder es ist von dem Orte hergenommen. Zweitens sagt „*sterbend*" nicht, was es soll. Cato liegt ja nicht in der Todesangst. Gehts auf die letzte Handlung, so ist noch mehr wider jene Regel gesündiget.

Aristoteles gibt diese Erklärung von einem Trauerspiele. Es sei eine Nachahmung einer Handlung, die ganz ist und eine rechte Größe hat, deren Schreibart wohlklingend, in verschiedenen Teilen aber mit Musik und Tänzen versehn ist, die ohne Hülfe der Erzehlung, bloß durch das Mittel des Mitleidens und Schreckens die Leidenschaften zu reinigen sucht. Aus dieser Erklärung gehn unsern heutigen Trauerspielen die Musik und die Tänze nicht mehr an. Man hat die Chöre, wiewohl ohne Grund, aus denselben verwiesen. Ein paar elende Geigen, so die Handlung nur zu unterbrechen dienen, können sich ihrer Ehre nicht anmaßen.

Ein regelmäßiges Trauerspiel muß eine Nachahmung einer Handlung sein. Ein tragischer Poet muß also nicht bloß vorstellen, wie sich eine Person in diesen oder jenen Umständen verhalte oder wohin sie sich neige und was sie etwa verrichte, sondern wie sie aus gewissen Beweggründen gewisse Mittel anwende, eine Absicht zu erreichen. Dies gehört zu einer vollständigen Handlung. Ich will es durch das vollkommenste Trauerspiel, den ‚*Ödipus*' des großen Sophokles, beweisen. Es ist in Theben eine Pest. Ödipus schickt nach dem Orakul, ein Mittel zu erfahren, wie ihr abzuhelfen sei, und bekommt die Antwort, daß der Mörder des Lajus solle bestraft werden. Dies sind seine Bewegungsgründe. Er wendet alle Mittel an, die Ausforschung des Mörders zu bewerkstelligen. Man muß aber merken, daß die Absicht und der Ausgang oft sehr unterschieden sein.

Laßt uns darnach die Handlungen des ‚*Cato*' untersuchen. Der Herr Prof. Gottsched hat seine Fabel nicht selbst entworfen, aber wohl die aus dem ‚*Cato*' des Addison. Im Grunde ist sie in seinem nicht verändert. Das Hauptwerk ist dieses. Cato ist nebst wenigen Römern und einigen Hülfsvölkern in Utica eingeschlossen. Cäsar bietet ihm den Frieden an. Man schlägt ihn aus. Cäsar läßt seine Armee anrücken: Cato sieht kein Mittel, ihm zu widerstehen, und ersticht sich. Ihr seht hier wohl, wie sich Cato in diesen und jenen Umständen verhält. Er tut auch mancherlei, aber nur bei Gelegenheit. Aber das alles zusammen, soviel auch geschicht, macht keine Handlung nach den Regeln aus. Es ist eine bloße Begebenheit. Und die ist von jener unterschieden und nicht tüchtig, daß daraus ein Trauerspiel werden könne.

Mir dünkt, der Charakter dieses stoischen Weisen würde noch heller geleuchtet haben, wenn er eine regelmäßige Handlung ausgeübet und mit seiner gewöhnlichen rauhen Strenge auf seinen Endzweck gedrungen hätte. Nach dem Titel und dem Vorsatze des Dichters sollte es ein Selbstmord sein. Ich will noch einen voraussetzen, der stattgefunden hätte: nemlich dem Cäsar zu widerstehen. Oder die Römer zu verteidigen. Auf einen von diesen beiden müßte alles gerichtet sein. Wir werden es sehn.

Gleich anfangs sucht Arsene beim Cato Trost und Hülfe wider den Pharnaz, den Mörder ihres vermeinten Bruders, und er verspricht sie. Warum? Ist dies ein Bewegungsgrund oder ein Mittel zu einer von diesen Absichten? Im geringsten nicht. Arsene wird als seine Tochter erkannt. Er zwingt sie, die parthische Krone niederzulegen. Was trägt das zur Sache bei? Cäsar kommt um Arsenens willen nach Utica, und Cato unterredet sich mit ihm wegen des Krieges. Dieses könnte man zu den Mitteln rechnen, wenn der Widerstand gegen den Cäsar die Hauptabsicht sein sollte. Aber 1) sieht es mehr einer Zwischenbegebenheit ähnlicher; 2) gesteht der Herr Professor selbst, daß es nur geschähe, um den Cäsar und Cato gegeneinanderzustellen. Was ist das anders als die Personen und nicht eine Handlung nachahmen? Das verbeut Aristoteles. Weiter: Marcus wird erstochen, Cato hält ihm eine Leichenrede. Wozu dient dieser Umstand? Ist es ein Bewegungsgrund, daß er sich ermordet? Dies zerstörete seinen Charakter. Nein, es ist eine Gelegenheit, ihn zu zeigen. Der Ausgang ist die ganze wahre Handlung. Man kann einwenden, ich hätte die Zwischenbegebenheiten zur Haupthandlung gezogen, da sie nicht darzu gehörten. Aber eben das ist ein Fehler. Besser unten wird sich zeigen, daß alles dazu gehören muß, insbesondre das, worein der Held verwickelt ist. In dem ‚*Ödipus*' ist es offenbar. Wäre Portia die Hauptperson, so wäre ehe eine Handlung nachgeahmt. Es scheint überhaupt, daß unserm Dichter ein Roman besser als eine Tragödie gelingen sollte.

Eine nachgeahmte Handlung, die eine Sittenlehre unter sich begreift, heißt eigentlich eine Fabel. Im Trauerspiele muß sie durch Hülfe des Mitleidens und Schreckens die Leidenschaften zu reinigen suchen. Darzu wird eine Handlung erfordert, wenn es regelmäßig sein soll. Da diese nun nicht im ‚*Cato*' ist, so folgt von selbst, daß keine Fabel dasein könne. Es geschicht zwar nur mehr als zuviel. Aber dies ist eben der Fehler. Es sollte nur eines recht geschehen. Das Mitleiden sowohl als das Schrecken wird eigentlich von der Auflösung gezeuget. Denn diese würkt das plötzliche Erstaunen. Die andern kleinen Schrecken und Traurigkeiten sind nur Vorbereitungen oder Folgen. Ich sage, wenn es nach den Regeln gehen soll.

Die Hauptperson muß daher etwas in Willens haben, dadurch sie unglücklich wird oder sich endlich aus dem Unglücke herausgerissen sieht. Das theatralische Unglück aber muß eine Folge der Fehler des Helden sein. Dadurch erlangt die Sittenlehre erst ihren Nachdruck. Ich überlasse es dem Urteile meiner Leser, ob die kleinen Schrecken und Betrübnisse solche Vorbereitungen und Folgen der großen über Catons Tod sein. Es wird sich auch hernach zeigen. Seine Entleibung ist keine Folge aus seinen begangenen Fehltritten. Aber die Umstände waren also beschaffen, daß er Hand an sich legen mußte. Allein daran hatte er keine Schuld, daß Cäsar siegte und Rom fiel. Alles, was er vorher tut, ist löblich und eines großen Verteidigers seines Vaterlandes gemäß. Das Unglück auf dem Schauplatze ist gleichsam ein sichtbares Verbot der Handlungen. Man braucht nicht mehr als die großen Meister anzusehen, wenn man davon will überzeugt sein. Hierin liegt auch der Grund von der Beschaffenheit des Helden, die Aristoteles fordert. Es ist wahr; Cato ist also vorgestellt. Aber diese Beschaffenheit muß ihn etwas begehn lassen, dadurch er unglücklich wird, und das ist nicht. So würkte z. E. die große Hitze und Neugierigkeit des Ödipus alle die erschrecklichen Taten, die ihn seinen Fall über den Nacken zogen.

Noch eins. Ein Dichter muß eine solche Sittenlehre vortragen, die seinen Landsleuten gemäß ist. Die Vorrede zeiget, daß er von dem allzu großen Eigensinne in der Verteidigung der Freiheit abschrecken wolle. Für die Engländer kann das vielleicht eine Lehre sein, aber ich weiß nicht, ob sie für die Deutschen ebenso nötig ist. Überdem, da ein Trauerspiel nicht eine Nachahmung der Tugenden oder Laster, sondern der daraus fließenden Handlungen ist, so muß auch die Lehre nicht sein, wie man beschaffen sein sollte oder nicht, sondern was man bei solcher Beschaffenheit tun oder lassen soll. Wer dies genauer erwegt, wird sehn, daß ich dadurch die Reinigung der Begierden nicht aufhebe und also dem Aristoteles widerspreche; dies folgt aus jenem. Aristoteles verlangt ferner: der Inhalt der Tragödie solle ein Ganzes ausmachen; welches er so erklärt, dasjenige sei ganz, was einen Anfang, Mittel und Ende hat. Der Anfang heißt bei ihm, was nichts voraussetzt oder nicht aus einem andern folget, sondern aus dem etwas natürlicherweise entstanden sein oder entstehen soll. Man merkt leicht, daß er hierdurch die Quellen und Ursachen verstehet. Denn davon fängt die Handlung an. Diese gehören hauptsächlich in die erste Handlung. Es hätte also der Herr Professor darin erklären sollen, warum sich Cato zu seinem Selbstmorde entschließet. Aber wovon wird dann geredet; man verzeihe mir den Scherz, von einem Findelkinde und von Hochzeitmachen. Kaum gedenkt Cato manchmal mit zwei Worten an jenen. Dies kommt mir vor wie ein Kinderköpfgen, das aus einer großen Perücke gucket.

Das Mittel ist nach des griechischen Lehrers Erklärung das, was etwas voraussetzt und worauf was folgen muß. Oder alle Mittel, Handlungen und Begebenheiten, die in den angegebenen Ursachen gegründet sein und zu Erreichung des Endzwecks oder zur Verhinderung desselben etwas beitragen. Ich habe schon vorher gezeiget, wie alles, was da geschicht, wenig mit dem Tode des Cato zu tun habe. Und da zu der Handlung kein Anfang da ist, so können auch keine Mittel darinnen gegründet sein. Aus dem allen folgt endlich, daß auch kein rechtschaffenes Ende da sei. Dann was hat endlich der Selbstmord des Cato mit allen vorhergehenden Tändeleien mit der Arsene zu tun, welche alle vier vorhergehende Aufzüge erfüllen.

Folglich ist dann die letzte Handlung eigentlich die Materie des ganzen Trauerspieles und alle vier vorhergehenden unnütze. Die erste Szene enthält den Anfang; denn Cato zeigt alle Bewegungsgründe an, die ihn reizen können, seinen abgezielten Endzweck, den Selbstmord, zu beschleunigen. Das Mittel ist vollkommen da. Er macht seinen Degen wie Ajax zurechte, sein Sohn kommt und will ihn verhindern; er aber dringt durch. Die Reden sind auch nicht übel angebracht, so die Portia und die andern halten. Ja, es kommt noch eine neue anscheinende Verhinderung, die Post von Pompejens Sohne, dazu.

Diesen Entwurf hätten die Dichter ausarbeiten und zu seiner rechten Größe erweitern sollen. Ich gestehe es, ohne die Episoden würde es schwer geworden sein, fünf Handlungen damit anzufüllen; aber das ist eben die Kunst, und dazu ist nur ein großer Geist aufgelegt. Mittelmäßige Reimer raffen immer viel Materie zusammen und wissen doch hernach wenig Rechtschaffnes davon zu sagen. Aber ein ungemeiner und wahrhaftig scharfsinniger Geist braucht nur wenig Anlaß, und gleichwohl weiß er viel davon vorzutragen: dann bei seinem Reichtume an Witz und Geist leidet er nie Mangel an Gedanken, dazu er immer Gelegenheit in der Materie siehet, wo ein andrer blind überhingehet. Denn so wie sich aus einem kleinen Mittelpunkte eine große Menge der längsten und gradesten Linien bis zum Umkreise ausbreiten lassen, woraus ein vollständiger Zirkel erwächst, da alle andre Striche, so nicht in diesem kleinen Tüttelchen ihre Quelle haben, falsche Querstriche sein und die schöne Übereinstimmung desselben nur verwirren, so weiß er aus einer kleinen mit Verstand erwehlten Handlung Umstände, Taten und Reden herauszuschöpfen, die die vorgeschriebne Schranken jenes Trauerspiels erfüllen.

Eben wegen dieser so nötigen Verbindung ist den Dichtern das Gesetz von der dreifachen Einheit gegeben. Die Einheit der Handlung oder die genaue Übereinstimmung und Verknüpfung aller Teile zu einem einzigen Endzwecke ist also sehr schlecht in acht genommen. Etwas besser sieht es mit der Zeit aus, wiewohl es doch nicht wahrscheinlich ist, daß Portia unter andern in der 7. Szene, 5. Handlung in Ohnmacht fällt und, ohne daß man sie aufkühlen oder wegbringen sehen, schon wieder munter ist, ehe 9tehalb Zeilen gesagt werden.

Die Einheit des Orts ist zwar sklavisch, aber nicht künstlich beobachtet. Es ist gar nicht glaublich, daß alles auf dem einen Platze vorgehe. Und es ist im Grunde viel verwerflicher, wenn man darauf geschehn läßt, was natürlicherweise nicht geschehn kann, als wenn man in jeder Handlung einen neuen Ort nimmt. Dann jenes zerstört die innere Wahrscheinlichkeit, dieses aber ist so ungeschickt nicht, da die Chöre und also die Verbindung unter den Handlungen mangelt. Wer läßt sich wohl bereden, daß z. E. Pharnaz alle seine Bosheit vor Catons Zimmer ausschreie, und wie ungeschickt ist die 1. Szene der 5. Handlung? Cato müßte der wunderlichste Eigensinn sein, wann er sich auf den Saal betten ließe. Man merkt wohl, daß es ein Schlafgemach sein soll, aber wo kommt das her; und ist es wohl wahrscheinlich, daß ein solch geheimes Gemach auf den Saal gehet? Vorher hört und sieht man nichts davon. Das soll manchmal den Baumeister der Bühne auf die Gedanken gebracht haben, einen Gott oder Zauberer abzugeben und auf einmal ein zuvor nicht gesehnes Zimmer plötzlich auf dem Saale entstehen zu lassen. Es ist vermutlich wohl dies wider des Herrn Professors Willen geschehen; denn die prosaischen Erklärungen hinter der 2ten Szene läßt uns schließen, wie seine Einrichtung gewesen. Aber anstatt daß dies zur Entschuldigung dienen sollte, so hilfts nur noch mehr zur Verurteilung. Wer den Hedelin gelesen hat, wird auch seine spitzige Gedanken von dem Vorhange wissen[10].

Aber noch weiter. Wo hat es die geringste Wahrscheinlichkeit, daß er bei einem so geheimen Vorhaben das Zimmer habe offen gelassen, da er davon geredet? Merken hier nicht die Zuschauer, daß es bloß um ihrentwillen geschicht, damit sie seine Worte hören können? Ein großer Fehler! Überhaupt sind weder die Säle noch Schlafzimmer die Örter zum Schauspiele. Aber wenn man auch dies zuläßt, wie kann man die Wahrscheinlichkeit weiter behaupten, wenn Cato in dem Auftritte den Portius schilt, daß er in sein Cabinet hereingedrungen sei; so ist notwendig, daß es

10. Hedelin von Aubignac, ‚*Pratique du Théâtre*', 1657.

wieder muß zugemacht gewesen sein. Aber davon steht nichts, und ich glaube auch nicht, daß es geschehen sei. Soll es aber geschehen, wie es notwendig ist, wenn nicht alle Wahrscheinlichkeit wegfallen und sein Catonischer Verweis lächerlich werden soll, was werden die Zuschauer sagen, wenn er ihnen entweder die Türe vor der Nase zuschmeißt oder den Vorhang fallen läßt, und zwar bloß damit Portius was aufzumachen hat? Wo bleibt die Anständigkeit? Es ist dies auch noch um einer andern Ursache fehlerhaft; nemlich: weil man den Zuschauer würklich dasjenige, was sie auf dem Schauplatze sehen sollten, auch sollte sehen lassen; ich meine, daß Portius zu seinem Vater hineindringt. Deswegen wird auch Carcinus[11] beim Aristoteles getadelt, daß er den Amphiaraus läßt aus dem Tempel gangen sein, ohne daß es die Zuschauer gesehen. Die Alten, und insbesondre Sophokles, sind auch in diesem Stücke ganz unvergleichlich. Der Ort ihres Schauplatzes ist allezeit ein öffentlicher, aber fast in jedem Stücke ein verschiedener Ort. Die Kunst, mit welcher sie ihn anordnen und die Regel beobachten, nebst der Schönheit und Pracht sind erstaunenswürdig. Auch das bloße Lesen ihrer Tragödien setzt uns dadurch in die größeste Verwunderung. Diese Kunst wird man in den Neuern sehr selten gewahr werden, wir müssen uns ordentlich mit sehr schlechten prosaischen Beschreibungen davon abspeisen lassen.

Der Philosoph teilt ferner die Handlungen oder Fabeln ein, in einfache und zusammengesetzte oder verwickelte. Jene sind die, die so zu reden in einem Tone fortgehn und sich ohne Glückswechsel oder Entdeckung schließen oder die so traurig aufhören, wie sie sich beginnen, wo der anfangs abgezielte Zweck erreicht wird und mit ihm gemäßen Umständen und Folgen begleitet ist. Dann auf den Ausgang gründet sich vornehmlich die Benennung. Unter den griechischen Tragödien findet man wenige von dieser Art. ‚*Ajax*‘ gehört hierher. Mir dünkt aber nicht, daß der ‚*Philoctetes*‘ des Sophokles, wie Dacier will, darzu zu rechnen sei, indem darin ein offenbarer Glückswechsel vorhanden ist. Denn er geht auf des Herkules Befehl aus seinem jämmerlichen

11. Gemeint ist der jüngere von zwei Brüdern, die um 400 v. Chr. lebten. Von seinen Tragödien sind nur Bruchstücke erhalten.

Zustande heraus. Ajax aber führt seine grausame Entschließung wider sich selbst aus, und der Streit über sein Begräbnis und was dabei vorgeht ist demselben gemäß und gleich.

Eine solche einfache Handlung soll, allem Ansehen nach, der ‚*Cato*' sein und wäre es auch, dafern die fünfte Handlung die Haupthandlung des ganzen Werks wäre. Der Cato vollbringet seinen Vorsatz, den er in der ersten Szene kundgetan. Die Umstände dabei erfolgen schön und natürlich daraus, und alles ist, wie der Anfang, betrübt. Die Erkenntnüs sowohl als der Glückswechsel müssen einen Teil der Hauptfabel ausmachen und aus der Materie also entspringen, daß alles, was vorgehet, sie entweder notwendig oder wahrscheinlich hervorbringe. Folglich dürfen sie nicht in den an und vor sich falschen Nebenfabeln sein.

Ich brauche nichts mehr zu sagen, um zu beweisen, daß ‚*Cato*' keinen Platz unter den zusammengesetzten Fabeln verlangen könne. Aber laßt uns die Erkenntnis etwas näher betrachten. Der Name ist klar genug, ihre Eigenschaften sind, daß sie Haß oder Liebe unter denen verursache, die der Poet will unglücklich oder glücklich machen, das ist unter den Hauptpersonen. Diese sind in diesem Trauerspiele ohnstreitig Cato und Cäsar. Aber Cato und Cäsar bleiben Feinde, obgleich Arsene als seine Tochter erkannt wird; soll aber Arsene es sein, so bleiben sie Freunde, wie sie es waren. Besser ist die andre, da sich Arsene und Cäsar erkennen. Denn diese werden aus Verliebten zu Feinden. Aber es ist und bleibt fehlerhaft, denn die Erkenntnis soll unter den Hauptpersonen und also unter Cäsarn und Caton vorgehen. Keine Nebenperson muß den einen Teil ausmachen, viel weniger die Person sein, die erkannt wird; die Alten haben nicht leicht dawider gefehlt. Z. E. da sich Ion und seine Mutter beim Euripides erkennen, so werden sie aus Todfeinden die zärtlichsten Freunde. Beide sind auch die Vornehmsten im Spiele.

Aristoteles erkennt unter allen Arten der Erkenntnissen diejenige als die schönste, welche aus der Materie selbst gezeuget wird und durch wahrscheinliche Mittel ein großes Erstaunen zuwege bringet. Er führt als Beispiel den ‚*Ödipus*' und des Euripides ‚*Iphigenie in Tauris*' an. Diese letzte scheint das Muster von der im ‚*Cato*' gewesen zu sein. Euripides zeigt erstlich seine Fabel sehr deutlich an. Ein junger Prinz erhält von dem Orakel Befehl, das Bild einer Göttin aus ihrem Tempel zu reißen, um dadurch von seiner Raserei befreiet zu werden. Er reiset deswegen hin zu dem Tempel und erlangt seinen Zweck durch Hülfe seiner Schwester, die er dort erkennet. Diese Fabel ist richtig eine zusammengesetzte, denn die Erkenntnis liegt schon in der Materie selbst, ist aber die Materie nicht selbst, sondern nur ein Teil davon. An der Fabel des ‚*Cato*' aber hat die Erkenntnis der Arsene keinen Teil.

Euripides hat seine also ausgearbeitet, daß die Entdeckung ihren Grund in der vorhergehenden hat oder daß sie wohl vorbereitet ist. Bemerket die sinnreiche Art. Iphigenie kommt aus dem Tempel, um ihrem Bruder das Totenopfer zu bringen. Die Ursache, die sie selbst angibt, ist ihr Traum, worin, wiewohl dunkel, etwas von dem Zukünftigen erblickt wird. Nachdem Orestes, der die Ursache seiner Herkunft anzeigt, und Pylades wieder abgegangen, kommt Iphigenie wieder, klaget mit dem Chore über ihren Bruder. Indem kommt ein Bote und berichtet ihr, daß sie zwei gefangne Griechen opfern solle; dieser weiß zwar des Pylades, aber nicht des Orestes Namen. Sie fasset einen strengen Entschluß, und nachdem der Chor gesungen, so werden die beide herzugebracht, welche man gefangengenommen. Sie fragt auch den Orest um seinen Namen, aber er verweigert es ihr unter allerhand Entschuldigungen, gesteht aber doch, daß er von Argos sei und den Orest wohl kenne, von dessen Leben er ihr zugleich Nachricht erteilt. Sie selbst gibt oft zu verstehen, daß sie gern von hier wollte. Dies konnte nicht besser als durch die Hülfe ihres Bruders geschehen. An den findet sie itzt Gelegenheit zu schreiben, und so ist, ohne daß man es wahrnimmt, dieser Brief, das Mittel der Entdeckung, wohl vorbereitet. Denn als sie ihm denselben darauf aus einem wahrscheinlichen Grunde vorliest, so erkennet er daraus, daß sie seine Schwester sei. Es ist dies ein rechtes Kunststück. Es wird vielleicht allen sehr leicht scheinen. Aber eben deshalb ist es um so viel kunstreicher.

Hat es der Herr Professor auch also zubereitet? Er selbst sagt nichts davon. Ich finde auch nichts. Euripides läßt uns immer vermuten, daß jetzo die Entdeckung geschehen werde, aber er betrügt uns immer aufs angenehmste. Herr Gottsched gedenkt nicht mit einem Worte daran, bis er auf einmal mehr tut, als wir nicht gedacht haben, und zu einer Zeit, da es auch wohl niemand von ihm gefordert hätte. Dem Cato selbst ist es vorher nicht in die Gedanken gekommen, daß er eine Tochter gehabt. Und er selbst hätte sich eh des Himmels Einfall als die gar zu plötzliche Entdeckung versehn. Doch nein, Cato gedenkt mit zwei Worten an sein verloren Kind. Aber vornehmlich ist es 1) viel zu kurz vor der Entdeckung. 2) ist es nicht wahrscheinlich, daß sie, die er als ein junges Kind eingebüßet, sich noch sollte so ähnlich gewesen sein, daß er sie erkennet hätte. Ein scherzhafter Kopf würde sagen, der ernsthafte Cato müsse der Schönen ein wenig zu tief in die Augen geguckt haben: weil er ihre Bildung so genau bemerket. Und 3) liegt ihm Rom so sehr in Gedanken, daß er darüber seiner Kinder leicht vergißt. Die erste Zeile ist sehr gut:

Ich spüre neuen Trieb, Arsenen zu beschützen.

Die Natur kann sich regen. Ja, es hätte auch dem Cato wohl angestanden, wenn er wegen ihrer Tugend gewünscht, daß sie seine Portia sein möchte; dadurch wäre es vielleicht wahrscheinlich geworden. Aber also ist es zu gezwungen. Arsene selbst hätte, ohne das Spiel zu verderben, wohl wissen und sagen können, daß sie nicht des Arsaces Tochter sei. Es wären aber also alle die schönen Verweise wegen des Brudermordes weggefallen. Ich gebe es zu, behaupte aber, daß es besser sei und sein würde, weil man gar nicht vermutet, daß eine so tugendhafte Prinzessin so wenig gerechten Zorn habe, daß sie noch lange Gespräche von der Liebe mit ihres Bruders Mörder halten könne. Man erwartet von ihr nicht mehr als zwei Worte: „Grausamer Mörder meines Bruders, gehe mir aus den Augen!"

Die Art und Weise der Entdeckung kann nicht ungeschickter erdacht werden. Wie plump kommt der Phocas dahergerannt und sagts ihm schlechtweg, Arsene sei Portia, nachdem er eine romänenhafte Erfindung dahergeplaudert, die uns gar nicht rühret. Wann nichts mehr darzu gehörte, als es dem andern sagen zu lassen, wenn er einen erkennen soll, so hätten die Kunstlehrer gewiß nicht soviel Wesens daraus machen dürfen. Der allergemeinste Witz reichte dazu hin. Was vor geheimnisreiche Vorbereitungen, was für Umwege haben andere Dichter nicht zu nehmen gewußt! Sie scheinen immer ganz woanders hinaus zu wollen. Nie gehen sie geradezu. Viel schlechte Romänenschreiber haben es besser gemacht als Herr Gottsched. Iphigenia wird auch in der vorher angeführten Tragödie durch einen Brief entdeckt: aber wie ist der erstlich vorbereitet und sodann ganz woandershin gerichtet!

Ferner so ist auch gar keine Ursache, warum die Entdeckung gerade itzt und nicht eher oder später geschicht. Andre Dichter lassen sie erst dann vorgehen, wann sie nun als eine notwendige Würkung ihrer treibenden Ursachen nicht ausbleiben und ohne dieselbe die ganze Handlung keinen fernern Fortgang haben noch das Ende erreichen kann. So ists mit dem ‚*Ödipus*' und andern beschaffen. Wann aber Cato gleich niemals seine Tochter wiedergesehen, hätte er sich deswegen nicht ermorden können?

Die folgenden Entdeckungen haben alle nicht im geringsten mehr Kunst. Denn Cato sagt es allen nur schlechthin. Ob nun gleich dies sich für ihn schickt, so sind doch im Gegenteil der Vorsatz, seine Tochter erst zu probieren, ehe ers ihr kundtue, und die klägliche Art, mit welcher er ihr auf ihre Erklärung wegen der Liebe gegen den Cäsar antwortet, Dinge, die mit seinem Ernst und seiner Strenge sich nicht reimen. Der Kopf ist ihm noch nicht vom Weine warm geworden, daß er Lust zu scherzen und sich zu verstellen haben kann. Sonst hofft man, daß er sich [durch] solche Kleinigkeiten als ihre unschuldige Liebe gegen den Cäsar nicht gleich zu einer so unverständigen Betrübnis werde bringen lassen. Es wäre für ihn genung gewesen, wann er sie auf der Stelle hätte rufen lassen und es ihr kurzweg gesagt: „Du kannst nicht mehr der Parther Königin sein. Denn du bist meine verlorne Tochter", und endlich nach ihrer Erklärung: „Tochter, gedenke mir nicht mehr an Cäsarn; denn dadurch beschimpfst du den Cato, deinen Vater." Kurz, Briefe, Reden und andre solche Dinge müssen nicht schlechtweg die Erkenntnis selbst hervorbringen, sondern nur Gelegenheit geben, daß die Hauptpersonen dadurch auf die Erkenntnis gebracht werden.

Wie schlecht Cato, als die Hauptperson, dazu erwehlet sei und wie wenig sein Charakter mit den Lehren des Aristoteles und Horaz übereinstimme, kann man aus dem ‚*Briefwechsel von der Natur des poetischen Geschmacks*' auf der 103. Seite sehen[12]. Hieraus folgt dann zugleich, da Cato wegen seines stoischen Wesens sich nicht zu einer Hauptperson schicket, daß auch nicht ein rechtes Schrecken und Mitleiden in dieser Tragödie herrsche. Diese beiden Gemütsbewegungen müssen deswegen in dem Zuhörer erregt werden, daß er solche Taten, als in der Tragödie vorgestellet werden, fürchten und scheuen lerne. Wie oben gezeigt ist, so müssen diese allein von der Hauptperson verrichtet sein, und an der muß man auch sehn, wie elend und unglücklich ein solch Vergehn mache und wie groß die Schmerzen und die Verzweiflung sei, die sie darüber empfinde. Wann sie nun selbst nicht so beschaffen ist, daß man über sie erschrecken und Mitleiden haben kann, weil sie selbst kein Leid über ihr Unglück sehen läßt, so fällt der Endzweck der Trauerspiele, so fallen die Mittel zugleich hin. Man wird einwerfen, man fühle aber doch ein Mitleiden, ja auch Schrecken, wenn man den ‚*Cato*' lese? Es ist wahr. Aber eben das ist der größte Fehler: Was das Schrecken über seine Entleibung betrifft, so verliert es alle Kraft durch Catons Heldenmut und wird zur Bewunderung. Das ist gerade umgekehrt. Das Mitleiden aber entstehet bloß über die Angst und Betrübnis seiner Kinder. Die sind Nebenpersonen, also ist es eitel, fruchtlos, unregelmäßig, weil das erstere fehlet; sonst könnte es freilich wohl stattfinden, wann es jenes zu vermehren diente. Wie ganz anders hat doch Sophokles im ‚*Ödipus*' und ‚*Ajax*' die Regeln auszuüben und den Gipfel der Kunst zu erreichen gewußt. Ehe ich die Charakter der Personen prüfe, muß ich noch mit einem Worte der Verschwörung des Pharnaz gedenken. Ich besinne mich zwar auf keine Exempel und Regeln bei den Alten. Aber weil es eine grausame Handlung ist, so kann man sie doch aus dem Aristoteles beurteilen.

Vors erste dient sie wiederum weder zur Verhinderung noch Beförderung des Todes des Cato, sondern nur seine

12. Von Bodmer 1736 veröffentlichter Briefwechsel zwischen ihm und dem italienischen Dichter Graf Pietro Calepio (1693–1762).

und Cäsars Größe ans Licht zu bringen und sich wegen Arsenens zu rächen. Man weiß schon, daß diese Absicht dabei fehlerhaft ist. Zweitens ist nichts tadelbarer, als wenn eine schreckliche Tat beschlossen und nicht ausgeführt wird. Denn so wird das Schrecken nicht, sondern vielmehr das Lachen über einen solchen Großprahler erreget. Was man sonst in den hohen Gedanken und in der Schreibart „fallen" heißt, das ist dies in der Erfindung. Denn Pharnaz redet von erschrecklichen Dingen, von lauter Morden, Brennen, Verheeren (im 7. Auftritte der 2. Handlung). Hernach aber wird weiter nichts draus als ein Anfall auf das Schloß, worin Catons Sohn zufälligerweise umkommt. Deschamps hätte es viel besser zu einem so erschrecklichen Auflauf kommen lassen, daß sich endlich Cato selbst ermorden müssen; wann es nur nicht so sehr wider die Historie wäre. Aber der Herr Professor ist nicht glücklicher. Ich werde es zeigen.

Ich muß wegen Mangel des Raums hier abbrechen. Ich behalte mir künftig noch die Prüfung der Charaktere, der Sitten, der Auflösung des Knotens, der charaktermäßigen Reden, der Gedanken, Meinungen, Schreibart usw. vor. Wer dies inzwischen selbst prüfen will, darf nur Bodmers und Breitingers Schriften lesen. Ich gedachte hier noch eine Untersuchung der ‚*Critischen Dichtkunst*', als eine Bestärkung des ‚*Erweises*'[13], anzuhängen; aber weil es sich wegen Ermanglung des Platzes nicht tun läßt, so muß ich es gleichfalls verschieben. Vielleicht verwandle ich sie in kritische Abhandlungen verschiedener Materien der Dichtkunst und ende den Streit. Will mir jemand mit Gründen, nicht mit Scheltworten noch frembdem Ansehen andrer Dichter, zeigen, daß ich geirret, der wird mich verbinden. Es wäre zu wünschen, daß man nicht sowohl suchte, sein Ansehn auf dem Schauplatze zu erheben als vielmehr den Wachstum der wahren Tragödie zu befördern.

13. ‚*Erweis, daß die G*ttsch*dianische Sekte den Geschmack verderbe*', Titel der Schrift Pyras, in der die hier abgedruckte ‚*Untersuchung*' erschienen ist.

NACHWORT

Der Herausgeber von Gottscheds ‚*Sterbendem Cato*' braucht sein Unternehmen heute nicht mehr wie Otto F. Lachmann in der letzten, vor fast 80 Jahren ebenfalls in Reclams Universal-Bibliothek erschienenen Ausgabe zu begründen. Mag im großen und ganzen das Urteil des ausgehenden 19. Jahrhunderts über Gottsched, vor allem über den Dichter Gottsched, auch noch das heutige sein, so gilt doch jetzt die Auffassung als selbstverständlich, daß den Neudruck eines Textes nicht allein dessen dichterische Qualität rechtfertigt. Die Auswirkungen des historischen Verständnisses, das sich in dieser Auffassung bekundet, kommen seit einigen Jahren in zunehmendem Maße auch der Literatur der Aufklärung zugute. Gerade in letzter Zeit kann man ein verstärktes Bemühen um die Erforschung der sogenannten rationalistischen Dichtung verzeichnen. Und es betrifft nicht nur die Literatur der Aufklärung im allgemeinen, sondern gerade auch die Werke Gottscheds, und hier wiederum nicht nur seine theoretischen, sondern auch seine dichterischen. Erstmals seit langer Zeit kennt eine Interpretationssammlung, die einen repräsentativen Querschnitt durch die deutsche dramatische Literatur bieten will, auch wieder Gottsched den Dramatiker.

Beachtet und gewürdigt hat man seit je Gottsched den Reformer der deutschen Literatur des 18. Jahrhunderts. Korrigiert ist grundsätzlich auch das vernichtende Urteil Lessings über den Leipziger Professor. Seit einigen Jahrzehnten bemüht sich die Literaturwissenschaft, auch Gottscheds Verdienste um das deutsche Drama und Theater angemessen herauszuarbeiten. Dennoch wird er auch heute noch als das Paradebeispiel eines Verfechters von doktrinären, leblosen, im Grunde nur äußerliche Eigenschaften eines Kunstwerks betreffenden Regeln angesehen, die eine organische Entwicklung der Dichtung im 18. Jahrhundert eher aufgehalten als gefördert hätten. Und es kann keinen

Zweifel darüber geben, daß die von Gottsched um 1730 eingeleitete Reform der deutschen Literatur, deren Kernstück die Erneuerung des Dramas war, Positives und Negatives zugleich bewirkte. Allzu radikal zum Beispiel war sein Kampf gegen das „*Regellose*", weil er auch das ursprüngliche Element einer natürlichen, unreflektierten und unkünstlerischen, doch kraftvollen, volkstümlichen Dichtung zerstörte. Allzu unnachsichtig war sein Angriff auf die „*Posse*", weil er das Komische überhaupt aus dem Drama verstieß, so gründlich verstieß, daß es sich erst in Lessings ‚*Minna von Barnhelm*' seinen ihm gebührenden Platz zurückerobern konnte. Zu einseitig war gewiß auch seine Kritik an den deutschen Barockdichtern, insbesondere an Lohenstein.

Doch sind Reaktion und Werk des jungen Magisters der Philosophie, der „*vernünftig*" zu denken bestrebt war, der überall den größten Wert auf logische Klarheit und Durchsichtigkeit legte, angesichts der damaligen Theater- und Dramenpraxis zumindest verständlich. In der Vorrede zum ‚*Cato*' gibt Gottsched selbst einen kurzen Überblick über den Zustand, in dem sich das deutsche Theater um 1725 befand. Er stellte sich nicht nur ihm als ein „verwildeter" dar; selbst sein schärfster und bedeutendster Gegner, Lessing, konzidierte ihm wenigstens die Berechtigung seines Eingreifens. Und überblickt man die ganze Geschichte des deutschen Dramas, kann man nicht leugnen, daß die Reform auch im objektiven Sinne manches Positive hervorbrachte – trotz der vielen Einseitigkeiten und übertriebenen Pedanterien im einzelnen. Eine Reihe der inadäquaten poetologischen Maßnahmen wird überdies besser begreiflich, wenn man sich des Anlasses der Reform erinnert. Die umfassende Erneuerung, die Gottsched zu vollbringen gewillt war, entsprang seiner Reaktion auf herrschende Zustände, sie war zumindest im Anfang eindeutig und hauptsächlich g e g e n bestimmte Phänomene gerichtet. Gottsched wollte verändern, verbessern. Das erklärt wenigstens zum Teil das Überspitzte, das heute so unbegreiflich Ungeschmeidige seiner Theorien. Reaktion war teilweise auch wieder sein Beharren auf bestimmten, mitunter wenig entscheidenden Grundsätzen seit dem Ende der dreißiger Jahre. Er glaubte seinen Gegnern keine Zugeständnisse machen zu dürfen, wenn nicht seine ganze Poetik wertlos werden sollte. Hätte er in einem Punkte nachgegeben, davon war er überzeugt, würde der Zusammenbruch seines ganzen Systems die notwendige Folge gewesen sein. In diesem Verhalten zeigt sich der echte Aufklärer, der Professor für Logik und Metaphysik, für den die Wolffsche Philosophie verbindlich war, für den der Satz vom zureichenden Grund unanfechtbare Gültigkeit besaß.

Die Verwirklichung seines Planes nahm Gottsched von Anfang an auf drei Ebenen gleichzeitig in Angriff: er begann ganz konkret das Bühnen- und Aufführungswesen zu reformieren, er legte seine poetischen Theorien systematisch geordnet in einer Poetik nieder und schuf selbst als Dramatiker den Grundstock des zukünftigen Repertoires eines *„gereinigten"* deutschen Theaters.

In der von dem Ehepaar Neuber geführten Schauspielertruppe fand er die Helfer, die bereit waren, seine Ideen auf der Bühne in die Tat umzusetzen. Schon bevor das erste deutsche *„Originaldrama"* aufgeführt werden konnte, richteten sich die Neubers nach einem hauptsächlich von Gottsched mit Hilfe von Übersetzungen, vornehmlich französischer Stücke, entworfenen Spielplan.

Als die Truppe Ende 1731 den *‚Sterbenden Cato'* zur Aufführung brachte, hatte sein Verfasser seine epochemachende Poetik bereits veröffentlicht. In der 1730 erschienenen *‚Critischen Dichtkunst'* hat Gottsched alle Gesetze und Regeln, ohne die seiner Meinung nach kein Dichtwerk bestehen konnte, in einer übersichtlichen Ordnung entwikkelt und dargestellt. Hier finden sich die viel geschmähten Rezepte für eine vollkommen reglementierte Dichtung, die oft verlachten, bespöttelten und bekämpften Vorschriften und Gebote, die wirkliche Dichtung nach Ansicht der Nachfahren unweigerlich ersticken und ihr darum von Anfang an eher schädlich als nützlich sein mußten: das Prinzip der Naturnachahmung, die Forderung nach Wahrscheinlichkeit, das Gesetz der drei Einheiten, die kleinlichen Anweisungen über Szenenverknüpfung, Aktschlüsse und Monologe und vor allem das Postulat des *„moralischen Lehrsatzes"*. Dieser – der für Gottsched der eigentlichen Substanz aller Dichtung gleichkam – stellte die Dichtung in den Dienst der

Philosophie, der Aufklärung im wörtlichen Sinne, er verwandelte sie in einen Funktionsträger innerhalb eines moralpädagogischen Erziehungs- und Bildungsprogramms.

Gerade in diesem inneren Zusammenhang aller Teile aber, mochte er auch noch so anfechtbar sein, in der Tatsache, daß alle literarischen Gattungen und Probleme unter einem übergreifenden Gesichtspunkt mit gleicher Intensität und Gründlichkeit behandelt wurden, bestand die historische Leistung des Werkes. Eine auch nur annähernd gleich umfassende und in sich begründete Theorie der Dichtung hatte es bis dahin in Deutschland nicht gegeben.

Doch war es gerade die Geschlossenheit des Werkes, das man heute mit dem Begriff „Wirkungspoetik“ wohl am besten bezeichnet, die in erster Linie den Anlaß für alle Angriffe auf die ‚*Critische Dichtkunst*‘ und ihren Verfasser bildete. Das zugrunde liegende System, der darin eindeutig zum Vorschein gelangende unbewegliche, unschöpferische Standpunkt des Autors bedingten fast alle Schwächen, die dieser Poetik eigen sind. Aber obwohl sie darum mit Recht als Ganzes schon nach kurzer Zeit abgelehnt worden ist, blieben dennoch viele der einzelnen Definitionen und Erkenntnisse Gottscheds, herausgelöst aus dem System, jahrzehntelang Bestandteile der Dichtungstheorie. Die ‚*Critische Dichtkunst*‘ hörte bald auf, als in sich zusammenhängende Poetik die Literatur zu beeinflussen. Es blieb jedoch eine Wirkung ihrer Teile, in die sie zerlegt wurde. Eine große Anzahl der nunmehr isolierten Regeln behielt bis in die Klassik hinein ihre Gültigkeit. Das war möglich, weil die einzelne Regel nicht selten einen fruchtbaren Kern enthielt. Man verkürzte sie darum gleichsam, indem man sie des Unbrauchbaren, des „Nur-Gottschedischen“ entkleidete. Auf diese Weise wurden häufig sogar die schärfsten Widersacher Gottscheds seine Schüler, oft ohne zu bemerken, daß viele der von ihnen vertretenen Anschauungen und Überzeugungen erst von Gottsched begründet und formuliert worden waren. Vom Prinzip der Naturnachahmung etwa blieb der Kern erhalten, die idealistische Nachahmung der Natur. Gottscheds Forderung nach Wahrscheinlichkeit konnte von seinen Nachfolgern ohne Schwierigkeit auf die Forderung nach einem inneren Kausalnexus der Handlung reduziert werden, wie ihn zum Beispiel Lessing für das Drama verlangt. Lessing, der im 17. Literaturbrief Gottsched jegliches Verdienst um das deutsche Drama abspricht, verwendet trotzdem wie selbstverständlich die von Gottsched vorgelegte Definition einer dramatischen Fabel, nachdem er den *„moralischen Lehrsatz"*, die *„Sittenlehre"*, daraus verbannt hatte. Welchen weitreichenden Einfluß Gottscheds nachdrücklicher Hinweis auf Aristoteles gehabt hat, braucht nicht erst betont zu werden.

Die Reihe solcher Beispiele ließe sich mühelos fortsetzen. Aber auch sie können einen anderen erheblichen Mangel in Gottscheds Theorie nicht ausgleichen: die Ablehnung Shakespeares, überhaupt des englischen Theaters, und die einseitige Orientierung an der französischen „haute tragédie". Von seinen eigenen Schülern, wie J. E. Schlegel, über Bodmer, Breitinger und Lessing bis zu den Dichtern des Sturm und Drang reicht die Kette derjenigen, die besonders diese Einstellung Gottscheds kritisierten. Und obwohl diese Kritik zweifellos berechtigt war, muß doch ein Vorwurf in dieser Polemik um der historischen Gerechtigkeit willen berichtigt werden. Gottscheds einseitige Orientierung am französischen Drama ging nicht auf seinen bewußten Vorsatz zurück, speziell die französische Kunst auf deutsche Verhältnisse zu übertragen. Eine Französisierung des deutschen Geisteslebens hat in dem Sinne, wie man es ihm immer wieder vorgeworfen hat, nicht stattgefunden. Die französischen Klassizisten wurden Gottscheds Vorbild, weil er in ihnen die Nachfolger der unerreichten Griechen zu erkennen, weil er in ihren Werken die zeitlosen und unwandelbaren, letztlich aus der Vernunft abgeleiteten Regeln der *„theatralischen Poesie"* am besten verwirklicht glaubte. Corneille und Racine hielt er für die Vollender der neuzeitlichen dramatischen Kunst. Er erblickte in ihnen nicht die Vertreter einer großen nationalen, sondern die Repräsentanten einer übernationalen und überzeitlichen Kunst, weil sie die übernationalen und überzeitlichen Gesetze der Poesie am genauesten befolgt hatten. Im Gegensatz zu den Engländern. Deren Dichtung war für Gottscheds Überzeugung viel zu sehr mit nationalem Gehalt und nationalen Formeigenheiten verbunden, viel zu stark auf die Eigenart eines bestimmten

Nationalcharakters zugeschnitten, im Vergleich mit der französischen in seinen Augen darum einfach „*regellos*".

Trotzdem erkannte Gottsched die französischen Muster nicht vorbehaltlos an und lehnte die englische Literatur nicht uneingeschränkt ab. Dafür sind seine beiden moralischen Wochenschriften ‚*Die Tadlerinnen*' (1725) und ‚*Der Biedermann*' (1727), die in Anlehnung an die von Addison und Steele herausgegebenen englischen Vorbilder entstanden, ein Beispiel. Das beweist aber auch die Entstehungsgeschichte des ‚*Sterbenden Cato*'. Zunächst hatte Gottsched nur eine Übersetzung des ‚*Cato*' von Addison geplant und begonnen. (Sie ist später von seiner Frau vollendet worden.) Er bemerkte jedoch schnell „*Verstöße*" gegen die Regeln in dem Drama des Engländers. Aber obwohl sich nun das französische Stück von Deschamps als das „*regelmäßigere*" anbot, ersetzte er doch nicht einfach das eine durch das andere, sondern löste aus beiden Werken die Teile heraus, die ihm am besten gelungen schienen, und fügte sie zu einem neuen Drama zusammen. Das Ergebnis war die erste deutsche „*Originaltragödie*".

Gottscheds dramatisches Erstlingswerk wurde das erfolgreichste Theaterstück der nächsten Jahrzehnte. Es mußte sich zwar schon nach kurzer Zeit heftige Kritik und ätzenden Spott gefallen lassen, doch fand es noch mehr Zustimmung und Beifall. In 25 Jahren erlebte es nicht weniger als zehn Auflagen. Schuldirektoren führten es in ihren Gymnasien auf, Fürstenhöfe widmeten ihm Prunkaufführungen. Gottlieb Köllner, der Herausgeber der 10. Auflage, schreibt in seinem Nachwort: „So viel ist gewiß, daß nicht leicht eine Residenz, Reichs- oder andre ansehnliche Handelsstadt, von Bern in der Schweiz und Straßburg an bis nach Königsberg in Preußen und von Wien her bis nach Kiel im Holsteinischen, zu nennen ist, wo nicht ‚*Cato*' vielfältig wäre aufgeführet worden." Obgleich Köllner Schüler Gottscheds war, darum ganz gewiß einen parteiischen Standpunkt vertrat – so widmet er mehrere Seiten seines Nachwortes der Verteidigung seines Lehrers gegen „*tadelsüchtige Federn*", besonders gegen Pyra –, liegt doch kein Grund vor, an seinen Worten zu zweifeln. Auch das Ausland nahm vom ‚*Sterbenden Cato*' Notiz. Riccoboni in seinen ‚*Réflexions historiques et critiques sur les differents Théâtres de l'Europe*' (1735) und der ‚*Mercure de France*' (1738) sehen mit Gottscheds Drama endlich auch in Deutschland eine Epoche der regelmäßigen Dichtkunst beginnen.

Der Erfolg bei den Zeitgenossen stößt heute bei einem literarhistorisch nicht vorgebildeten Leser auf weitgehendes Unverständnis. Was bei Gottscheds Reformen und poetischen Regeln möglich ist, eine tolerierende Würdigung des Positiven inmitten des Negativen, scheint beim ‚*Sterbenden Cato*' unmöglich. Mochte für die gelehrten Zeitgenossen die wohlgeordnete und in klare, übersichtliche Perioden gestaffelte Verssprache einen Höhepunkt der Dichtkunst darstellen, 200 Jahre später können diese Alexandriner kaum anders denn als leblos und klappernd empfunden werden. Die viel gepriesene „Regelmäßigkeit" des Stückes erscheint heute nur noch als erstarrte Gleichförmigkeit. Undenkbar ist eine Aufführung dieses Dramas im 20. Jahrhundert. Und noch weniger denkbar ist es, daß eine solche Aufführung die Zuschauer zu Tränen rühren könnte, wie es von Gottsched für die Leipziger Uraufführung überliefert ist.

Über den dichterischen Wert des ‚*Sterbenden Cato*' gibt es seit langem keine Diskussion mehr. Sogar der leidenschaftliche Streiter für Gottscheds Anerkennung, Eugen Reichel, bekennt: Sein künstlerischer „Wert ist gering; ja, meine persönlichen Ansprüche an ein Drama sind der Art, daß ich die erste deutsche Tragödie der neuen Schaubühnen- und Literaturepoche nicht einmal durchweg ernst zu nehmen vermag. Nicht nur die, durch den Reimzwang fast überall um ihre Schlichtheit, vielfach sogar um die, im gegebenen Falle nötigen, zutreffenden Worte gekommene Verssprache verleidet mir das Stück. Auch die Menschen selbst lassen keine Teilnehmung in mir aufkommen; weil ihnen das Leben fehlt; weil sie nicht empfinden, sondern über ihre Empfindung reden und oft genug sogar ungeschickt reden. Kein Schöpfergeist beherrscht in diesem Trauerspiel die Menschen, ihr Handeln und Reden" (Bd. 1. S. 631/32).

Abgesehen davon, daß hier zum Teil Kriterien an das Werk herangetragen werden, die nur auf die Erlebnisdichtung aus späteren Epochen anwendbar sind, entsprechen solche Worte doch durchaus einer traditionellen Einstellung gegenüber dem ‚*Cato*', die schon zu Lebzeiten Gottscheds entstanden ist. Auf den mangelnden Schöpfergeist hatte bereits Bodmer hingewiesen, als er über das mit „Kleister und Schere" angefertigte Drama spottete. Und zwanzig Jahre vor Reichel hat Joh. Crüger nachgerechnet, daß nur 174 der insgesamt 1648 Verse des „*Originaldramas*" aus Gottscheds eigener Feder stammen, alle übrigen fast wörtliche Übersetzungen aus den Stücken von Addison und Deschamps sind.

Zu diesen Fakten, die kaum zu intensiverer Beschäftigung mit dem Drama auffordern, kommt seine starke Zeitgebundenheit, aus der es nach Meinung aller bisherigen Ausleger nicht zu lösen ist. Was Gottsched gestalten wollte und für die Zeitgenossen gestaltet hat, den Bewunderung und Mitleid erregenden Selbstmord eines Stoikers, der zugleich auch Schrecken hervorrufen und eine Kritik des Selbstmordes sein soll, weil ihm ein Fehler zugrunde liegt – die Übertreibung der Tugend –, scheint zu einer ausschließlich historischen Interpretation aus dem Geiste der Aufklärung zu zwingen. Ein solcher Gehalt liegt dem heutigen Leser noch ferner als die allgemeinen Theorien der Aufklärung über Sinn und Zweck der Dichtung.

Und in der Tat hat man sich bisher dem ‚*Sterbenden Cato*' nur von Gottscheds eigenem Standpunkt her genähert – sieht man von G. Müllers kurzen Bemerkungen in seiner ‚*Geschichte der deutschen Seele*' (S. 201 f.) ab –, um von da aus notwendig zu einem negativen Urteil über das Drama zu gelangen. Es stellt sich jedoch die Frage, ob sich wirklich nur von hier aus ein Zugang zu dem Werk findet, ob nicht doch wenigstens der Versuch gewagt werden sollte, das Drama als eigenes Ganzes zu interpretieren. Das scheint um so mehr angebracht, als der von Gottsched im ‚*Cato*' bewußt gestaltete Gehalt dem heutigen Leser nur erkennbar werden dürfte, wenn er vor der Lektüre von ihm weiß. Ohne diese Kenntnis wird der unbefangene Betrachter ihn wahrscheinlich überhaupt nicht bemerken.

Es ist nun aber keineswegs so, daß von Gottscheds Drama nichts übrigbleibt, wenn man es nicht im Sinne der Intentionen seines Verfassers interpretiert. Der Tod Catos ist nicht nur dann sinnvoll, wenn man ihn in Übereinstimmung mit Gottsched als das Ergebnis einer Übertreibung der Tugend versteht. Stellt er sich dem heutigen Leser nicht eher als das Ergebnis einer tragischen Notwendigkeit dar? Gibt es nicht von Anfang an innerhalb des dramatischen Geschehens eine Leitmotivik, die gerade auf diese Bedeutung des Selbstmordes hindeutet? (Vgl. Vers 142, 248, 847 u. a.) Die mit so vielen hohlen Worten angefüllten Erörterungen der Probleme zwischen den drei Hauptgestalten Cato, Cäsar und Arsene muß man nicht nur als pathetische, unecht wirkende Preisungen der Catonischen Tugend verstehen. Sie werden heute verständlicher, wenn man sie als die Versuchungen deutet, die Cato zu bestehen hat, damit er seiner unbedingten Freiheitsliebe treu bleiben und seinen Republikanismus ohne Konzessionen verfechten kann. Man sollte das Drama vielleicht geradezu gegen Gottscheds Absichten analysieren, damit man ihm gerecht zu werden vermag. Ganz unvereinbar mit Gottscheds Auffassungen, ja mit den Überzeugungen der Aufklärung überhaupt, wäre eine Interpretation, die den ‚*Sterbenden Cato*' als einen Vorläufer des erst in der 2. Hälfte des 18. Jahrhunderts entstehenden Geschichtsdramas ansähe. Doch bedeutete vielleicht gerade eine solche Auffassung den fruchtbarsten Ansatz für eine „werkgerechte" Analyse. Denn in Cato und Cäsar ist nicht nur der Gegensatz von Tugend und Laster, sondern auch der Gegensatz zweier Staats- und Regierungsformen dargestellt. Ja, mehr noch. Ihre Begegnung bedeutet zugleich auch den Zusammenstoß zweier geschichtlicher Zeitalter, des republikanischen und des absolutistischen, der zum Untergang des ersten führt. Die historisch nicht belegte Begegnung zwischen Cato und Cäsar in Utica gewinnt unter diesem Aspekt eine symbolische Bedeutung fast im Sinne einer geschichtsphilosophischen Betrachtungsweise. Und hierfür ließen sich wiederum eine Reihe von Textstellen anführen, die schon von Anfang an auf diesen historisch-philosophischen Hintergrund der Handlung hinweisen. Cato selbst sieht in seiner und in Cäsars Person die Repräsentanten der beiden Zeitalter. Er weiß, daß er unterliegen wird. Cäsar ist unbesiegbar. Mit ihm sind die Mächte der Zeit und der Geschichte im Bunde. Schon ganz am Anfang des Dramas wird das brennende Capitol als Sinnbild des Untergangs der

Republik Rom beschworen, der sich in Utica endgültig und unwiderruflich vollziehen wird. Vers 125 ff.:

Rom seufzet, und es steht das Capitol in Flammen!
Hier zieht die Freiheit noch die letzte Kraft zusammen,
Mit der die Republik gewiß zugrunde geht,
Und wenn sie einmal fällt, wohl niemals aufersteht.

Das Ende des Dramas zeigt den vollständigen Sieg Cäsars. Seine unangreifbare Position muß von allen Anhängern Catos hingenommen werden: Es bleibt nur die Bitte um Erbarmen.

Natürlich kann auch ein solcher Interpretationsansatz die Schwächen des Werkes nicht beseitigen, das Drama als Kunstwerk nicht „retten". Aber erst wenn man ihn versucht hat, wenn man das Gottschedische Dramaturgieschema durchbrochen hat und trotzdem zu einem negativen Urteil über das Werk gelangt, wird dieses Urteil seine volle Gültigkeit beanspruchen dürfen.

Daß Gottscheds Drama nicht nur eine Darstellung des Tugend-Laster-Gegensatzes ist, mehr als den Plan des Dichters enthält, zeigt neben anderen zeitgenössischen Aussagen auch der in diesem Bande abgedruckte Aufsatz von dem Jenenser (Kirchen-)Historiker Gottlieb Stolle. Stolle, der Senior der ‚*Teutschen Gesellschaft*' in Jena war und unter dem Namen ‚*Leander von Schlesien*' auch als Dichter hervorgetreten ist, sieht in seinen ‚*Critischen Gedanken*' eine Art Gleichrangigkeit zwischen Cato und Cäsar. Gottsched hat in seiner ‚*Bescheidenen Antwort*' einige Mühe, Stolles Kritik zu widerlegen. Er ist gezwungen, seine Gegenargumente im Bereich der Philosophie und der Geschichte zu suchen und damit den eigentlichen Umkreis seiner Dichtung zu verlassen.

Doch waren nicht diese Passagen der Grund für den Neudruck der beiden Aufsätze. Abgesehen von dem Abschnitt in Gottscheds ‚*Bescheidener Antwort*', in dem der Primat der Dichtung gegenüber der Geschichte nachdrücklich hervorgehoben, der Dichtung so etwas wie Eigenständigkeit zuerkannt wird, sind die beiden Abhandlungen ein getreues Spiegelbild der zu Gottscheds Zeiten herrschenden Auffassung vom Wesen der Dichtung. Sie zeigen anschaulich, nach welchen Gesichtspunkten man zwischen 1730 und 1740 ein Drama beurteilte, mit welcher Eindringlichkeit man unwichtige Äußerlichkeiten diskutierte, wie wenig die Argumente, mit denen man die Fragen und Einwände des Gesprächspartners beantwortete, dem Gegenstand, über den man sich stritt, angemessen waren. Darüber hinaus vermitteln sie einen Eindruck von der Art des Echos, das das Erscheinen des ‚*Cato*' in den dreißiger Jahren hervorrief.

Einen Schritt über die hier vertretenen einseitigen Einstellungen hinaus tut Immanuel Pyra in seiner 1744 erschienenen ‚*Untersuchung der innern Einrichtung des teutschen ‚Cato*''. Pyra ist – im Gegensatz zu Gottsched und seinen Anhängern – durchaus bereit, einen Verstoß gegen die Regeln gutzuheißen, wenn die Einrichtung der Handlung es verlangt. Er fordert einen Wesenszusammenhang zwischen innerer und äußerer Gestalt und gibt der inneren im Zweifelsfalle unbedingt den Vorzug. Auch seine Aristotelesinterpretation greift wesentlich tiefer als die von Gottsched. Andrerseits nimmt auch Pyra noch durchaus den üblichen Standpunkt des Aufklärers ein, wenn er großen Wert auf bestimmte „*regelmäßige*" Eigenschaften eines Dramas legt. Einige seiner kritischen Einwände gegen das Gottschedische Werk zeigen das ganz deutlich.

ZU DEN TEXTEN

Alle in diesem Bande vereinigten Texte gehen auf die Erstdrucke zurück. Der Dramentext auf die erste Auflage aus dem Jahre 1732. Die Widmung an Gottfried Lange und Fénélons ‚*Gedanken von der Tragödie*', die in der Erstausgabe des ‚*Cato*' enthalten sind, wurden zugunsten anderer Schriften weggelassen.

Die wahrscheinlich von Stolle selbst verfaßten und nicht nur von ihm an Gottsched übermittelten ‚*Eines ungenannten Gönners unserer Arbeiten Critische Gedanken über den sterbenden Cato*' und Gottscheds ‚*Bescheidene Antwort auf die vorhergehenden Critischen Gedanken über den sterbenden Cato*' sind zuerst erschienen in den ‚*Beyträgen zur Critischen Historie der deutschen Sprache, Poesie und Bered-*

samkeit. Hrsg. von einigen Mitgliedern der Deutschen Gesellschaft in Leipzig'. Bd. 2. Leipzig 1733. S. 39–68. Beide Aufsätze sind später noch dreimal gedruckt worden, in der 2., 3. und 10. Auflage des ‚*Sterbenden Cato*' (1735, 1741, 1757).

Pyras ‚*Untersuchung der innern Einrichtung des teutschen Cato, nach den Regeln des Aristoteles*' bildet das II. Stück seiner ‚*Fortsetzung des Erweises, daß die G*ttsch*dianische Sekte den Geschmack verderbe*'. Berlin 1744. S. 63–92. Diese Streitschrift, in der Pyra sich in dem Literaturstreit zwischen Gottsched und den Schweizern nach anfänglicher Unentschiedenheit eindeutig auf die Seite von Bodmer und Breitinger stellt, war gegen die von Gottsched inspirierten ‚*Bemühungen zur Beförderung der Critik und des guten Geschmackes*', den sogenannten ‚*Hällischen Bemühungen*' gerichtet, die in Halle von 1743 bis 1747 publiziert wurden.

Orthographie und Interpunktion sind in allen Texten dem heutigen Gebrauch angeglichen worden. Doch wurden charakteristische Eigenheiten der Verfasser beibehalten. So bei Gottsched die häufig auftretenden Doppelpunktkonstruktionen, z. T. auch seine heute ungebräuchliche Anwendung des Semikolon. Inkonsequenzen in der Schreibung wurden ausgeglichen, ungewöhnliche Abkürzungen aufgelöst, Titel, Namen und Zitate in der Regel berichtigt beziehungsweise vervollständigt. Der Lautstand ist überall erhalten.

Die Horaz-Übersetzungen in den Anmerkungen zur ‚*Bescheidenen Antwort*' sind der Übertragung der ‚*Ars poetica*' von Gottsched in der ‚*Critischen Dichtkunst*' (4. Aufl. Leipzig 1751) entnommen worden, die Corneille-Übersetzungen der im 1. Teil der ‚*Deutschen Schaubühne*' erschienenen Übertragung von Gottfried Lange, außer in der Fußnote 5.

Das Lesartenverzeichnis enthält nur die bedeutenderen Abweichungen. Rein lautliche Änderungen („*fleuch*" in „*flieh*") blieben gänzlich unberücksichtigt, ebenso diejenigen, die durch die Umwandlung der Anredeform „*Ihr*" in „*du*", seit der 4. Aufl., bedingt sind.

INHALT